LES GENS DE NULLE PART

Derniers romans parus dans la collection Modes de Paris :

NOUS NOUS MARIERONS
A LA « RIVIERE BLEUE »
par Dorothy QUENTIN

LA MESALLIANCE
par Rachelle EDWARDS

UNE PLACE DANS TON CŒUR
par Sara BLAINE

CATHERINE DANS LA TOURMENTE
par Christina LAFFEATY

PERILLEUX HERITAGE
par Mary RAYMOND

LA PRISONNIERE DE LA TOUR SARRASINE
par Micheline CLOOS

LES DEUX FILLES DU DOCTEUR MARTIN
par Isobel STEWART

LA COMEDIE DES COMEDIENS
par W.E.D. ROSS

A paraître prochainement :

L'IMPASSE
par Jane WALLACE

Judy GARDINER

LES GENS DE NULLE PART

(*The Nowhere People*)

ROMAN

LES EDITIONS MONDIALES
2, rue des Italiens — PARIS-9e

ISBN N° 2-7074-4085-X

CHAPITRE PREMIER

Lucy Brennan, dix-neuf ans, prit son souffle et regarda le décor de la salle de séjour familiale comme si c'était la dernière fois qu'elle le voyait.

— Je vais épouser Robert Lowe, samedi, déclara-t-elle.

Il y eut un assez long silence. Personne n'avait bougé. Le père de Lucy restait invisible derrière le journal du soir ; sa mère continuait de tricoter ; son frère enduisait sagement de colle une des pièces du modèle d'engin spatial qu'il construisait. Le chat lui-même poursuivait sa toilette, une de ses pattes de derrière levée drôlement, dans une attitude qui lui donnait l'allure d'une violoncelliste.

— Que te proposes-tu de faire ? finit par marmonner Edward Brennan, tournant la page des sports.

— Je vais me marier, samedi.

Jane Brennan laissa tomber son tricot sur ses genoux.

— Te marier ? Tu as bien dit te marier ?

— Oui.

Cette fois, seuls le chat et le petit Nicolas poursuivirent leurs occupations. Les parents de Lucy regardaient la jeune fille d'un œil incrédule.

— Mais... avec qui ?

— Je viens de vous le dire ! Avec Robert Lowe.

— Robert Lowe ? Qui est-ce ?

— Robert Lowe..., répéta Lucy.

Elle avala péniblement sa salive et ajouta :

— Le... celui qui... celui qui voyage.

— Qui voyage ? Tu veux dire que c'est un voyageur de commerce ?

Ils semblaient ne parvenir à comprendre ce qu'elle voulait dire qu'en répétant tous ses mots, comme deux bons écoliers. Lucy sentait son exaspération croître.

— Euh ! pas exactement..., balbutia-t-elle.

Sa voix mourut. Dans le silence qui suivit, ce fut Nicolas qui lança la bombe. Jamais plus petite phrase ne devait produire pareil effet. Pressant soigneusement les surfaces encollées de deux pièces de son engin spatial, il déclara, avec une merveilleuse négligence :

— Elle veut parler de Robert Lowe, le Gitan.

Les parents ne bougèrent pas, mais ils accusèrent le coup. Successivement, leurs yeux s'agrandirent et se rapetissèrent, dans leurs visages figés.

— Ils s'appellent... les gens du voyage, pas les Gitans ! protesta Lucy.

— Tu veux dire...

La voix hésitante de la mère finit dans un murmure, le père étant parti, brusquement, d'un grand éclat de rire. Le journal du soir lui échappa.

— Je croyais que tu allais nous annoncer que tu épousais le prince Charles et que vous vous installiez au château de Windsor ! s'écria-t-il. Les « gens du voyage » ? Mais ce sont les gens du cirque qu'on appelle comme ça, pas les bohémiens !

Ce rire eut pour effet de relâcher la tension de Lucy. La jeune fille se leva et s'approcha de la fenêtre.

— Ecoutez, reprit-elle, je fais de mon mieux pour vous expliquer gentiment que nous nous aimons, Robert et moi, et que nous allons nous marier samedi. Je voulais vous en parler plus tôt — en toute sincérité, je l'aurais voulu ! — parce que je savais que cela vous... enfin, que cela vous surprendrait, que vous auriez du mal à...

— Epouser un Gitan ? s'écria Edward Brennan, dont le rire était retombé. Et comment ? Sous la tente ?

— Ecoute, Lucy, dit Jane Brennan d'une petite voix un peu tendue, rire, c'est rire...

— Je ne ris pas. Je vous dis la vérité. J'épouserai Robert Lowe samedi à 10 h 30, au bureau de l'état civil de Harford, et j'esp... et nous espérons que vous viendrez...

L'atmosphère de la pièce s'était épaissie, semblait-il. La tension devenait insupportable. Le chat, sensible à ces changements d'humeur, avait cessé sa toilette et dressait les oreilles, attentif.

— Si tu parles sérieusement, reprit enfin le père, il me semble que tu nous dois quelques explications, non ? D'abord, comment cette histoire a-t-elle commencé ? Où diable as-tu fait la connaissance de ce... de ce Robert Lowe ?

— A l'école. Les enfants Lowe sont venus à l'école de Harford quand la mairie a autorisé les parents à camper près du bois de Candlemas. Nous attendions le car de ramassage scolaire ensemble. Et puis, une fois, Robert est venu prendre le thé ici, avec sa sœur Rose...

— Ici ? répéta le père.

Ahuri, il regardait sa femme, quêtant une confirmation.

— Je me souviens d'eux, maintenant, déclara-t-elle. J'ai donné les vieux vêtements des enfants à madame Lowe. Elle paraissait bien honnête..., très propre...

— Mais pourquoi sont-ils venus prendre le thé ici ?

— Comment veux-tu que je me le rappelle ? C'est si vieux !

Elle avait lancé sa réplique sur un ton de mauvaise humeur et elle reprit son tricot, mais le laissa aussitôt retomber.

— Oh ! ce n'était pas pour le thé à proprement parler ! reconnut-elle. Ils sont venus ici, je ne sais plus trop pourquoi, et je leur ai offert une tasse de thé et un morceau de gâteau ou je ne sais quoi d'autre, parce que, justement, nous prenions le thé à ce moment-là. C'était un geste gentil, simplement.

— Eh bien, tu vois où tu nous a menés, avec ta gentillesse !

Edward Brennan se leva et s'approcha de Lucy. Ses yeux s'adoucirent. Il passa son bras autour des épaules de sa fille.

— Allons, mon petit, qu'est-ce que ça signifie, toutes ces sottises, eh ? Tu as lu trop de romans, c'est ça ?

Lucy se dégagea doucement et se tourna vers sa mère.

— Quand nous étions enfants, tout le monde trouvait très bien que nous soyons amis, dit-elle. Je t'ai entendue dire aux voisines que tu tirais ton chapeau à des femmes comme madame Lowe pour la façon dont elles arrivaient à élever autant d'enfants dans une caravane. Tu disais qu'elle te plaisait parce qu'elle avait de la dignité et qu'elle ne demandait rien à personne. Quand Robert est venu ici, tu as même reconnu qu'il avait l'air plus gentil que beaucoup d'enfants du village...

— Je sais, je sais, répondit la mère, malheureuse. Mais ce n'est pas pareil d'être camarades quand on est enfants et de...

— Mais si ! protesta Lucy. Les sentiments que nous avons maintenant l'un pour l'autre sont exactement les mêmes, à cela près que nous avons grandi et que nous sommes amoureux.

— Oh ! je t'en prie, assez de balivernes ! coupa Edward Brennan, dont le visage s'était empourpré. Si tu as eu des rendez-vous avec ce type sans nous en parler, c'est ton affaire et nous ne te ferons pas de reproches pour avoir agi en cachette de nous. Mais mets-toi bien dans la tête, une bonne fois pour toutes, que nous n'avons pas l'intention de rester passifs pendant que tu te rendras ridicule avec cette bande de bohémiens, loqueteux...

— Si cela peut t'intéresser, répliqua Lucy, qui avait rougi, elle aussi, ceux que tu appelles des loqueteux et des bohémiens sont des Romanis de pure race. Alors, je ne pense pas que tu puisses les regarder de haut parce que, en fait, de ce point de vue, ils nous sont infiniment supérieurs.

— Qu'ils soient ce qu'ils voudront, je ne te laisserai pas faire l'imbécile avec ces gens-là !

— Non ? J'ai dix-neuf ans et je peux faire ce qui me plaît !

— Mais, Lucy, gémit Jane Brennan, ça ne peut pas marcher...

— Certes, je suis bien sûre que vous chercherez à faire tout ce qu'il faut pour que ça ne marche pas, oui !

— Lucy, ne parle pas comme cela à ta mère !

— Alors, cessez de me traiter comme une gamine capricieuse !

— Et que diable crois-tu être d'autre ?

— Edward, cesse de crier, je t'en prie !

Dans la famille Brennan, on n'avait pas l'habitude des querelles, et c'est peut-être pour cela que cette première discussion dégénéra aussi vite. Lucy n'avait pas annoncé depuis cinq minutes à ses parents qu'elle avait l'intention d'épouser Robert Lowe que, chacun ayant perdu toute maîtrise de soi, tout le monde criait ou pleurait à qui mieux mieux. Dans des familles plus aguerries, chacun savait décocher verbalement les flèches les plus perfides, porter des coups aux endroits les plus sensibles, user de la colère avec une habile parcimonie et exploiter la haine au maximum. Cinq minutes d'émotion et de surexcitation suffirent pour rendre Edward, Jane et leur fille incapables de discuter logiquement.

Lucy s'enfuit dans sa chambre en sanglotant et claqua la porte derrière elle, tandis que son père cherchait une cigarette d'une main tremblante et que sa mère pleurnichait dans son tricot. Ce fut Nicolas qui parla le premier :

— Je peux me faire des toasts ?

— Oui.

— Il y en a qui en veulent ?

— Non.

— Je peux demander à Lucy si elle en veut ?

— Non, dit son père sèchement. Décampe !

Restés seuls, les parents Brennan se regardèrent.

— Qu'allons-nous faire ?

— Je me le demande, Jane.

Songeur, Edward Brennan contemplait la fumée de sa cigarette. Il resta ainsi un moment, puis sa femme vit son visage se détendre. Il sourit.

— Nous ne ferons rien du tout, ma chérie. Laissons deux ou trois jours à Lucy, et elle aura oublié toutes ces bêtises.

— J'espère que tu as raison...

— Bien sûr que j'ai raison. Pour l'amour de Dieu, Jane, a-t-on jamais entendu dire qu'un Gitan ait épousé une non-Gitane ?

La maison des Brennan faisait partie d'une série de six villas construites dans la verdure, en bordure de Lame Dunkery, petit village rural de l'East Anglia groupé autour d'une église, d'une épicerie et de trois cafés. Ces six maisons, modernes, étaient alignées le long du chemin qui conduisait au bois de Candlemas et éventuellement à la parcelle de terrain communal en friche où la municipalité avait autrefois autorisé la famille Lowe à garer sa roulotte. (Les Lowe restèrent là seize mois, puis la mairie leur fit savoir qu'il était temps pour eux de chercher fortune ailleurs. Pendant ces seize mois, les enfants Lowe d'âge scolaire étaient, par ce chemin, venus attendre le car de ramassage au même endroit que Lucy.)

Elle se souvenait de leur petit groupe — ils étaient trois, debout au bord de la route, serrés les uns contre les autres, sur la défensive —... et c'était le premier souvenir qu'elle avait des Lowe. Des enfants silencieux, aux aguets, avec des anneaux d'or aux oreilles.

... Elle leur avait dit bonjour, et ils répondirent d'un signe de tête. Quand le car arriva, ils attendirent qu'elle montât, puis ils passèrent devant les visages curieux, légèrement hostiles, des occupants du car avec une indifférence patricienne qui impressionna étrangement Lucy. Le lendemain matin, elle leur offrit un bonbon à chacun. Ils l'acceptèrent gravement.

L'amitié s'installa peu à peu entre eux et Lucy. Elle leur dit son nom et ils lui répondirent qu'ils s'appelaient Robert, Rose et Charles. Robert était le plus grand ; il avait des cheveux bouclés couleur d'or bruni. Ensuite venait Rose, une fillette aux jambes d'araignée, au visage hâlé et étoilé de taches de rousseur. Charles, le cadet, avait un nez camus au milieu d'un bon visage réjoui sous une masse de boucles brunes épaisses.

En ce temps-là, Lucy préférait Charles à Robert parce que le petit la faisait rire et parce qu'il savait faire des claquettes. Il en faisait par les matins froids d'hiver pour se réchauffer, fourrant ses mains bleuies sous ses aisselles tandis qu'il tournait lentement en rond sur la route dont le macadam était martelé — suivant un rythme rapide comme celui d'un pivert — par les bouts ferrés de ses souliers. Quelquefois, Rose l'accompagnait, mais sa danse consistait en battements étranges qui la faisaient ressembler à une oie disgracieuse essayant de s'envoler. Le plus drôle était quand Lucy s'en mêlait, esquissant un pas de polka avec un cavalier imaginaire tandis que le ruban qui lui attachait les cheveux descendait de plus en plus le long de sa queue de cheval, et que sa serviette de cuir lui battait le dos, rebondissant au rythme de la danse.

Les enfants Lowe n'avaient pas de cartables, eux ; ils n'avaient pas à transporter de livres ni de cahiers parce qu'ils n'avaient ni devoirs à faire chez eux ni leçons à apprendre. Ils étaient élèves de la section D, fourre-tout de tous ceux qui ne pouvaient pas suivre un enseignement régulier. D'ailleurs, ils allaient à l'école uniquement parce que le maire les y avait obligés ; et, comme la roulotte était garée sur un terrain appartenant à la commune, la prudence commandait d'obéir.

Quand elle pensait à cette époque, Lucy comprenait qu'elle avait, pour la première fois, distingué Robert de ses frère et sœur un matin de mai : ce jour-là, il avait déboutonné sa chemise délavée pour lui montrer un petit merle blotti contre ses côtes dans un nid improvisé de feuilles d'oseille bien tendres...

— Il est tombé du nid, le pauvre pouillard, avait-il dit.

— Tu crois qu'il vivra ? avait-elle demandé en effleurant le duvet presque imperceptible sur la tête plutôt laide.

— Je crois bien...

— Qu'est-ce que tu lui donnes à manger ?

— Des bouts de ver, une limace, par-ci, par-là.

Lucy avait eu un haut-le-cœur.

— Dans ta chemise ?

Il l'avait regardée d'un air de défi.

— Et alors, qu'est-ce qu'elle a, ma chemise ?

— Je ne sais pas... Rien...

Elle avait balbutié, décontenancée par un tumulte soudain d'émotions nouvelles. La peau nue de la poitrine de Robert était très douce et blanche sous la vieille chemise déteinte. Lucy aurait eu envie de la toucher, mais elle n'osait pas.

Ce fut Robert qui lui apprit à dénicher des œufs de perdrix, qui lui montra comment retrouver une pièce de bronze à l'aide d'une baguette de frêne, qui lui expliqua que les rouges-gorges et les hochequeues portaient bonheur, tandis que, si l'on voyait un rat sauter sur trois pattes — spectacle rare, à vrai dire —, on pouvait être sûr que quelqu'un qu'on connaissait mourrait avant le coucher du soleil.

Robert et Rose avaient accompagné Lucy jusque chez elle, un après-midi, parce qu'elle leur avait promis de leur donner un tas d'illustrés dont elle ne faisait plus rien. Ils étaient restés plantés tout près l'un de l'autre sur le pas de la porte. Jane Brennan avait dit à sa fille :

— Dis-leur donc d'entrer ! Ça n'est pas poli de laisser les gens dehors comme cela !

Ils étaient entrés, dociles, mais farouches, comme deux créatures des bois prêtes à prendre la fuite à la première alerte. Ils avaient bu du thé et mangé des scones généreusement beurrés, à peine sortis du four et tout chauds. Assis à la table de cuisine des Brennan, ils buvaient une gorgée et mangeaient une bouchée chaque fois que Lucy faisait de même. Leur attitude contrainte et inquiète avait empli Jane Brennan d'une sorte de pitié fascinée ; elle leur avait donné le reste des scones à emporter avec les illustrés.

Elle les avait chargés aussi de dire à leur mère qu'elle avait un tiroir plein de vieux vêtements trop petits pour ses enfants et qu'elle les lui donnerait, si du moins il y avait chez les Lowe des enfants à qui ces vêtements pourraient aller.

— Merci, madame. Il y en a de toutes les tailles, chez nous, avait dit poliment Rose.

Quinze jours plus tard, les Lowe avaient disparu. Ils étaient partis discrètement, un dimanche matin, peu après l'aube, leur roulotte accrochée derrière leur vieux camion vert.

Lucy, qui n'en savait rien, avait attendu vainement trois matins à l'arrêt du car de ramassage scolaire, puis elle était allée au bois de Candlemas voir ce qu'ils devenaient. Le terrain communal était abandonné. Elle avait suivi le sentier foulé dans l'herbe sèche jusqu'à l'endroit où la caravane avait séjourné. Tout près, elle avait vu un rond de cendres blanches — les restes d'un feu de bois — parsemées d'os de lapin. Plus loin, le fossé était jonché de boîtes de conserve vides qui rouillaient déjà.

Elle avait trouvé peu délicat de leur part d'être ainsi partis sans la prévenir, mais tout le monde ne disait-il pas que les Gitans étaient des êtres secrets, qui agissaient toujours furtivement et avaient une aversion native pour toute espèce de relations normales ?

Elle s'apprêtait à s'en aller quand elle avait aperçu un lambeau déchiré de tissu fané accroché aux ronces de la haie. Elle avait reconnu un bout de la chemise de Robert. Elle l'avait décroché avec soin, l'avait plié et emporté chez elle. C'était un peu comme un message de lui, présage de retour.

Il y avait huit ans de cela ! Le bout de chemise avait disparu depuis longtemps, jeté avec tous les autres souvenirs d'enfance, papiers de bonbon et rubans. Lucy avait terminé ses études et était entrée comme sténodactylo dans l'étude d'un notaire de Harford. Ce jour-là, ses parents lui avaient acheté un mobilier neuf pour sa chambre, avec un miroir à trois faces et un divan dont le dosseret capitonné était couvert de tissu rose...

C'était sur ce divan qu'elle était allongée, les yeux fermés, quand sa mère frappa à la porte, environ une heure après leur dispute. Jane Brennan avait monté à sa fille une tasse de café.

— Il est sucré, murmura-t-elle.

Puis, elle ajouta précipitamment :

— Lucy, es-tu enceinte ?

— Non !

— Tu es sûre ? Je veux dire... ton père et moi...

— J'en suis tout à fait sûre, dit Lucy, les yeux toujours fermés.

— Parce que, tu sais, ça n'est plus considéré comme quelque chose de... honteux, insista sa mère, d'une toute petite voix. Ça n'est plus comme de mon temps.

— Une fois pour toutes, il n'y a rien, dit Lucy, les dents serrées, pour la bonne raison que Robert et moi nous n'avons jamais...

— Bon ! Dans ce cas, bois ton café. Et, regarde, je t'ai apporté des biscuits...

Lucy se redressa ; assise sur son lit, elle se mit à rire.

— Et si je t'avais avoué que j'étais enceinte, tu aurais redescendu le café sans m'en offrir ?

— Naturellement !

— Et tu aurais mangé les biscuits toute seule ?

— Bien sûr.

Lucy lui tendit les bras.

— Mon Dieu ! Ça n'est pas pour rien qu'on t'appelle « Têtue » !

Elles se blottirent l'une contre l'autre, en riant. Des larmes leur montaient aux yeux, et elles avaient l'impression que tout allait s'arranger.

— Raconte-moi tout, reprit Jane Brennan. Allons, mon petit, dis-moi tout.

— Eh bien, quand les Lowe ont quitté le bois de Candlemas, je suis restée longtemps sans revoir Robert. Je ne l'ai retrouvé qu'à Pâques dernier. C'était le jour où j'ai emmené Nicolas à la foire, pour le *Bank Holiday* (*), tu te souviens ? Nous sommes montés sur les balançoires et puis Nicolas a voulu aller au tir et qui crois-tu qui était là, à encaisser la monnaie ? Robert ! Je ne l'ai pas reconnu tout de suite parce qu'il avait beaucoup grandi, naturellement. Il était bien changé, fort et tout... J'ai cru d'abord qu'il était devenu un peu revêche parce qu'il avait l'air de ne pas vouloir me parler. Je lui ai demandé comment allaient Rose et Charles, et tous les autres, et il a répondu

---

(*) Congé du lundi de Pâques.

simplement qu'ils allaient bien. Alors, je lui ai présenté Nicolas et je lui ai dit : « Tu te le rappelles ? C'est mon frère, Nicolas... Il était tout petit quand vous étiez là-bas. » Et Robert a répondu : « Oui, je me souviens. » A part moi, j'ai pensé : « Eh bien, si tu ne veux pas me parler, tais-toi ! » Et puis...

— Si je comprends bien, il a dû finir par devenir plus bavard ? continua Jane, qui riait... un peu jaune.

— Je pense bien ! Il m'a expliqué qu'il surveillait simplement le tir pour un de ses amis. Quand l'ami est revenu, j'ai invité Robert à nous accompagner jusqu'à la baraque des hamburgers. Il est venu et, peu à peu, il s'est mis à parler davantage ; enfin, il est redevenu comme il était autrefois. Je me suis aperçue que, s'il ne m'avait pas paru trop aimable, d'abord, c'était parce qu'il s'imaginait que j'étais devenue snob, en grandissant, et que je ne voudrais plus me rappeler que nous avions été amis et que nous étions allés à l'école ensemble et tout ça. Alors, je lui ai dit : « Oh ! Robert ! Comment peux-tu être aussi bête ? Comment as-tu pu penser que je deviendrais comme ça en vieillissant ? Après tout, tu connais mes parents, n'est-ce pas ? Tu ne peux tout de même pas croire que des gens comme eux m'auraient monté la tête pour me persuader que je vaux mieux que d'autres simplement parce que je vis dans une maison et eux... non ? Après tout, Robert, regarde-toi : tu es un vrai Romani, n'est-ce pas ? » Et il a répliqué : « Oui, je vois ce que tu veux dire. » Il m'a alors demandé comment vous alliez, tous les deux. Et puis nous avons pris un autre hamburger, et il a été très gentil avec Nicolas...

— Bois ton café, mon petit ; il est en train de refroidir.

— Mais j'ai raison, n'est-ce pas, maman ? Enfin, c'est vrai : papa et toi, vous ne méprisez pas les gens simplement parce qu'ils sont d'une ethnie différente, qu'ils ont un mode de vie différent, n'est-ce pas ?

« Si seulement elle n'avait pas ces yeux-là, si clairs et si brillants ! » pensait Jeanne Brennan, malheureuse. Des yeux dans lesquels il n'y avait pas un nuage, pas une ombre...

— Naturellement, nous ne les méprisons pas, déclara Jane Brennan, prenant sur elle pour paraître à son aise. Mais, vois-tu, ça n'est pas tout à fait la même chose que de croire que deux jeunes gens qui... enfin, qui vivent de façon si différente pourront être heureux ensemble. Tu me comprends, n'est-ce pas ? Ça ne pourrait pas manquer de poser des tas de problèmes.

— Oh ! nous avons parlé de cela, naturellement !

— Par exemple, où habiterez-vous, et quelle sorte de travail pourrait-il trouver ?

Pour la première fois, Jane Brennan crut voir une légère ombre passer dans les yeux de sa fille, mais cette impression disparut si vite qu'elle pensa s'être trompée.

— Nous sommes convenus, tous les deux, répondit Lucy d'un ton décidé, qu'il n'y avait qu'une seule façon possible de vivre pour nous, et que c'était la sienne. Il m'a expliqué qu'il ne pourrait jamais se fixer dans une maison, occuper un emploi ordinaire. Il étoufferait. Et, franchement, maman, je le comprends.

« Ce que tu veux dire, pensa la mère, avec une amertume soudaine, c'est qu'il est incapable de se trouver une maison ou un emploi ordinaire... » Elle soupira.

— Tu veux dire que vous vivriez dans une roulotte ?

— Oui. Mais, à présent, ils n'ont plus de roulottes... Ce sont des caravanes !

— Et comment gagne-t-il sa vie ?

— Il travaille très dur ! Franchement, les gens n'ont pas idée comme ils travaillent dur, lui et tous les siens.

— Oh ! je veux bien le croire ! Mais qu'est-ce qu'ils font, au juste ?

— Eh bien..., il y a la ferraille !...

— Mon Dieu ! s'écria Jane Brennan, presque malgré elle.

— Mais ils font beaucoup de travaux de ferme, aussi. Des travaux saisonniers, quand ça se présente.

— Oui, naturellement.

Elle les avait vus assez souvent, bien sûr, ces Gitans employés dans les champs comme saisonniers... Ils laissaient le long des haies du thé froid, dans des bouteilles de bière, et leurs bébés, abandonnés par terre, dans l'herbe...

— Lucy, dit-elle très doucement, regarde-moi bien dans les yeux et réponds-moi sincèrement. Est-ce cela que tu veux, vraiment ?

Il n'y avait plus aucune ombre dans les yeux de Lucy. Ils étaient clairs et purs comme le ciel par un beau matin d'été.

— Oui, répondit-elle tout aussi doucement. Tant que je vivrai, je ne me résignerai jamais à rien d'autre, je n'accepterai personne d'autre.

Elles en restèrent là. Mais, à l'instant où Jane allait quitter la chambre, Lucy la rappela pour lui demander si elle pourrait amener Robert dîner à la maison le lendemain soir.

— Oui... Non... Je ne sais pas, balbutia Jane Brennan, dont le visage ne trahissait que trop l'affolement et la confusion.

— Tu sais, il mange avec un couteau et une fourchette, dit Lucy, froissée.

— Bien sûr. Je ne voulais pas dire...

Jane Brennan se racla la gorge, puis ajouta, suppliante :

— Mais pas demain ! Donne-nous un jour ou deux pour nous habituer, ton père et moi, à... à...

Elle chercha son mouchoir dans la poche de son tablier, se détourna et descendit précipitamment.

— J'espère qu'elle est revenue à la raison ? demanda Edward Brennan qui, mal à l'aise, regardait la télévision sans la voir, dans la salle de séjour.

Jane Brennan s'efforça de paraître confiante.

— Pas exactement, avoua-t-elle. Mais je pense qu'elle se reprendra.

— Si elle s'est mis en tête de se marier samedi, elle ferait bien de se raviser au plus vite ! déclara-t-il, réussissant à sourire. Il ne reste plus que quatre jours...

CHAPITRE II

Quatre jours passèrent comme un cauchemar pour les parents Brennan.

Quelquefois l'idée que Lucy — cette belle fille, fraîche comme une rose qu'on vient de cueillir — pourrait épouser un gaillard comme ce Robert Lowe paraissait si ridicule qu'elle ne méritait même pas qu'on s'y arrêtât sérieusement. Une fois, même, Edward trouva le moyen de taquiner Lucy, disant qu'elle allait sûrement apprendre à lire dans les lignes de la main et d'autres balivernes. La petite rit gaiement, et ils comprirent avec un serrement de cœur que la certitude du bonheur qui l'attendait la protégeait, la rendait insensible à toute blessure d'amour-propre.

Puis, il suffisait d'un mot, échangé par hasard, d'une idée qui leur venait, pour leur faire prendre conscience de nouveau de la folie de cette situation. La mère d'Edward, par exemple... Elle était âgée et malade. Que dirait-elle quand elle apprendrait que sa petite-fille allait épouser un Gitan ? Cela risquait de la tuer. Et puis, le mariage..., à supposer qu'il y eût vraiment mariage : qu'est-ce que les Brennan étaient censés faire, pour la cérémonie ? Les usages, en principe, leur imposaient de se charger de tout ; mais se voyaient-ils vraiment recevant une bande de Gitans après le mariage ?

— Bon sang, Jane, tu les imagines, tous vêtus de leurs oripeaux bariolés, s'enivrant, faisant les poches aux invités et se bagarrant avec eux ?

— Et ma cousine Freda ! gémit Jane. Tu l'imagines, essayant de converser avec madame Lowe ?

Freda, directrice adjointe du service infirmier d'un hôpital... Ils ne purent s'empêcher de rire.

— Personne ne peut dire que je me sois beaucoup préoccupé du qu'en-dira-t-on, dit Edward, reprenant son sérieux. Tout de même, je n'ai pas l'intention de faire rire tout le monde à mes dépens.

— Que diraient les gens, à ton bureau ?

— Oh ! la même chose que les autres : que notre fille est devenue folle et que tout ça, c'est notre faute, parce que nous ne l'avons pas élevée convenablement.

— Ne crois-tu pas que nous rêvons, Edward ? Peut-être tout cela n'est-il qu'un cauchemar...

Mais ce n'en était pas un. Le mercredi soir, les époux Brennan engagèrent une dernière action, en désespoir de cause.

— Nous ne te demandons pas de renoncer, répéta Edward à Lucy, pour la quatrième fois. Nous te demandons simplement de remettre ce mariage. Donne le temps de la réflexion à tout le monde et... à toi-même.

— Mais je n'ai pas besoin de réfléchir, papa !

— Sacrebleu, si ! Tu es sur le point de commettre la plus terrible erreur de ta vie !

— Comment peux-tu en être aussi sûr, puisque tu ne veux même pas voir Robert ?

— Allons ! je le verrai ! Va le chercher ! Va et ramène-le, que nous sachions un peu ce qu'il peut dire en sa faveur, avant que je ne lui flanque mon poing sur la figure ! Qu'il nous dise comment il compte te faire vivre et...

— Je t'ai déjà dit que nous aurons notre propre caravane ! Tout cela est arrangé. Si seulement tu voulais m'écouter...

— Qu'il nous dise aussi ce que sa famille pense de cette histoire !

— Mais ils sont enchantés ! se récria Lucy qui, en fait, ignorait tout des réactions de la famille de Robert. Ils trouvent que c'est merveilleux, parce qu'ils ne sont pas comme toi et qu'ils comprennent que la seule chose importante, pour une femme, c'est d'épouser celui qu'elle aime...

— Je m'en doute ! Montre-moi lequel de ces Gitans ne considérerait pas une brave fille de bonne famille comme un cadeau du Ciel, comme quelqu'un devant qui ils pourraient faire leurs simagrées, la bouche en cœur, mais en se moquant d'elle par-derrière !

— Mais ils m'aiment tous ! s'écria Lucy. Ils m'aiment, ils m'aiment, ils m'aiment ! Ils veulent que je sois leur fille dans toute l'acception du terme ! Alors que toi, tu ne veux qu'une sotte poupée conformiste qui réagisse toujours comme le demande le cerveau de tes banlieusards petits-bourgeois !

— Oh ! je vous en prie, assez ! Assez !

La voix de Jane s'était élevée, perçante comme un sifflet de train, dominant celles de son mari et de sa fille. Et la discussion continua, semée de propos méchants, de larmes, de gestes de colère.

Le jeudi, Edward réussit à s'échapper de son bureau pour aller au commissariat de police de Harford. Il demanda au sergent de garde si l'on savait où se trouvait la famille Lowe.

— Ce sont des Gitans, expliqua-t-il. Il y a quelques années, ils ont campé près du bois de Candlemas pendant un bon moment.

— Des ennuis, monsieur ? demanda le sergent, qui regardait Edward bien en face, sans sourire.

— Des ennuis ? répéta Edward, laissant échapper un petit rire gêné. Enfin non, pas pour le moment. Je voudrais les retrouver, simplement, et je pensais que la police tenait toujours des fiches sur les Gitans.

— Nous gardons un œil sur eux, corrigea le sergent. Pour leur propre bien autant que pour autre chose, d'ailleurs.

— Alors, pouvez-vous me dire où ils sont ?

Le sergent hocha négativement la tête.

— Cela fait bien une semaine ou deux que je n'ai pas vu Jacob Lowe, dit-il. Il était du côté de High Grange il y a un moment. Lui et les siens travaillaient tous au binage des betteraves. Si j'étais à votre place, ajouta-t-il comme Edward se dirigeait vers la porte, j'essaierais de me renseigner auprès des Smith. Certains membres de cette tribu-là campent du côté du moulin de Lawford. Ils sont installés un peu à l'écart de la route, près de la rivière. Ils devraient pouvoir vous renseigner : tous ces Gitans savent ce que font les autres.

Edward remercia. Mais, au lieu de se diriger du côté du moulin, il remonta la grand-rue en direction des services de l'état civil. Dans l'entrée du bâtiment, un homme âgé passa une tête de tortue par son guichet et lui demanda s'il pouvait faire quelque chose pour lui.

— Oui, répondit Edward, crispé. Je voudrais que vous m'aidiez à empêcher ma fille de se marier ici, samedi prochain.

La tortue battit des paupières et fit la moue.

— Vous feriez mieux d'entrer, murmura enfin l'homme.

Dans une pièce si petite qu'un bureau et trois chaises suffisaient à l'encombrer, un autre homme, plus jeune, regarda Edward d'un air compatissant.

— Quel âge a votre fille, monsieur ?

— Dix-neuf ans. Et toute cette histoire est absolument...

— L'âge de la majorité est dix-huit ans, maintenant, vous le savez ? Alors, j'ai bien peur que vous n'y puissiez pas grand-chose...

— Oui... mais, tout de même, il doit sûrement y avoir...

L'homme, qui l'observait, coupa le flot de récriminations à la source.

— Mieux vaudrait peut-être me dire exactement ce qui vous tourmente ?

— Eh bien, ma fille veut épouser un Gitan !

Si Edward avait espéré que son interlocuteur serait choqué, il fut déçu. L'homme ne trahit aucun autre sentiment qu'une attention polie.

— Un Gitan ! répéta Edward avec force.

— Ce sont des choses qui arrivent, affirma l'autre, avec un léger soupir. De nos jours, les jeunes gens ne font plus autant attention aux différences de classe et l'on voit souvent des unions assez surprenantes...

— Oui, peut-être, mais...

— Nous avons eu un mariage de Gitans, ici, il y a quinze jours. Ils étaient bien une quarantaine, entassés dans la pièce voisine, tous riant et si gais qu'on ne pouvait pas s'empêcher d'être contents pour eux... Dans le cas de votre fille, tout ce que je peux vous proposer, c'est de lui dire deux mots en particulier, avant la cérémonie, pour m'assurer qu'elle comprend bien la gravité de l'acte qu'elle est sur le point d'accomplir.

— Merci beaucoup, dit Edward, amer.

— Comment s'appelle-t-elle ?

— Brennan. Lucy Elizabeth Brennan.

— Et quand la cérémonie doit-elle avoir lieu ?

— Samedi, ici même, nous a-t-elle déclaré.

— Je ferai ce que je pourrai, monsieur Brennan, dit l'homme, haussant les sourcils dans une mimique de résignation. Je ne peux vous promettre davantage.

La seule personne qui considérât le futur mariage de Lucy avec une certaine tranquillité d'esprit était son petit frère, Nicolas. L'enfant, âgé de huit ans, lui demanda si Robert et elle devraient sauter ensemble par-dessus les flammes d'un feu de camp.

— Dieu du ciel, non ! Pourquoi ?

— Parce que c'est comme ça qu'ils font. Et ensuite, ils font une grande fête avec des hérissons rôtis sur des brochettes, et tout le monde boit...

— Où diable as-tu lu cela ?

— C'est vrai ! C'est le frère d'un copain de l'école qui a regardé une fois un mariage de Gitans sans qu'ils le sachent. S'ils l'avaient attrapé, ils l'auraient tué !

— Nicolas, franchement, imagines-tu Robert tuant quelqu'un ? Peux-tu imaginer qu'il puisse

2

jamais se montrer méchant envers un être humain quelconque ? Tu connais Robert, voyons, Nicolas ! Et tu l'aimes bien, n'est-ce pas ?

— Oh ! si tu vas par là, je n'ai rien contre lui. C'est pas comme papa ou maman...

— Robert t'aime bien, Nicolas. Robert t'aime beaucoup ! Il dit que tu pourras venir t'installer chez nous de temps en temps. Et souviens-toi que c'est un vrai Romani, un authentique Romani. Aimerais-tu venir demeurer chez nous quelquefois, Nicolas ?

— Euh !... euh...

Edward et Jane eurent vraiment beaucoup de mal à s'endormir, la nuit du vendredi au samedi. L'aube pointait presque quand ils tombèrent dans un mauvais demi-sommeil coupé de cauchemars.

Lucy sauta du lit dès 6 heures et s'habilla sans faire de bruit. Elle revêtit la robe longue de toile qu'elle avait achetée pour son mariage puis, au bout d'un moment, la retira et en mit une courte. Si tôt le matin, la robe longue lui faisait un peu l'effet d'une chemise de nuit et n'était pas en harmonie avec son humeur.

Très doucement, elle refit son lit pour la dernière fois, retapant les oreillers et tirant bien la courtepointe. Elle plia la robe longue et l'ajouta aux autres affaires qu'elle avait déjà rangées dans une valise. Elle ferma la valise et la descendit au rez-de-chaussée, marchant sur la pointe des pieds.

La maison était extraordinairement silencieuse. Lucy se prépara du café et passa de pièce en pièce, les mains serrées autour de son bol. Elle disait un adieu muet à tout : au lampadaire et aux fauteuils, à la desserte et à la table de la salle à manger, au vase de fleurs...

Ce vase, c'était elle qui l'avait offert à sa mère. Elle devait avoir une dizaine d'années. Jane était devenue toute rouge d'excitation quand elle avait ouvert le paquet. C'était le premier vrai cadeau que Lucy lui faisait. Jusque-là, tous les autres cadeaux de sa fille n'avaient été que des babioles de gosse, de ces petites choses que l'on confectionne à l'école. Des semaines durant, Lucy avait économisé son argent de poche ; mais, en voyant la joie de sa mère, elle n'avait pas regretté ses petits sacrifices...

Tout en sirotant lentement le café brûlant, elle revint dans la salle de séjour, examinant tout ce que la pièce contenait, comme si elle regardait ces choses pour la première fois depuis des années : la série des volumes de l'encyclopédie que Jane s'était laissé convaincre d'acheter par un vendeur faisant du porte à porte ; la photo de son père, prise en Allemagne pendant son service militaire ; le modèle d'engin spatial de Nicolas, terminé, maintenant, et posé sur le manteau de la cheminée, à côté de la pendule...

Sa maison, son foyer. La sécurité. Des parents

qui l'avaient soutenue pendant toute son enfance et son adolescence...

Une époque se terminait pour elle. Avec une grimace de douleur, elle se rappela les visages tristes de ses parents quand ils lui avaient annoncé, la veille au soir, qu'ils n'assisteraient pas au mariage. Ils l'avaient dit gentiment, presque timidement, avec une telle détresse dans les yeux qu'elle n'avait pas essayé de les faire revenir sur leur décision. Ils avaient suffisamment discuté, depuis quatre jours, avant d'en arriver à ce moment et à ce dernier geste : leur cadeau de mariage — un chèque de cent livres — accompagné de leurs souhaits de bonne chance, difficilement balbutiés, et de leur refus d'assister à la cérémonie.

Au-dessus de la salle de séjour, elle entendit son père tousser dans son sommeil. Avalant précipitamment la dernière gorgée de café, elle revint en hâte à la cuisine. Si son père se réveillait et descendait, elle n'était plus sûre de pouvoir le regarder sans pleurer.

Elle rinça rapidement son bol, le renversa sur l'égouttoir, puis elle alla décrocher son imperméable dans l'entrée, prit sa valise et sortit de la maison. Mieux valait qu'elle partît tout de suite, vite et sans faire d'adieux. Sur la route de Harford, elle ferait du stop... Elle prendrait son petit déjeuner quand le milk-bar ouvrirait, à 9 heures, avant d'aller au bureau de l'état civil. Elle avait la licence de mariage dans son sac, avec le chèque de cent livres.

Dans le ciel d'août, la délicate teinte rosée du petit matin s'effaçait devant l'or brumeux d'une journée chaude quand Lucy passa d'un pas précipité devant la dernière maison de la rangée. Des oiseaux chantaient. Comme elle approchait du bout du chemin, elle vit une silhouette familière se détacher de l'ombre de la haie et s'arrêter.

Avec un hoquet de ravissement, elle se mit à courir, son imperméable volant sur son bras et sa valise battant contre ses jambes. Robert était venu l'attendre, et sa vue la remplissait d'un bonheur délirant. Elle s'effondra presque dans ses bras et laissa tomber sa valise avec un bruit sourd. Ils s'embrassèrent.

— Bonjour, et bon mariage ! dit-elle tendrement. Tu as été un amour de venir me chercher. Je me suis levée tôt parce que je ne pouvais pas dormir. J'ai quitté la maison sans dire au revoir à personne...

— Ecoute, il y a quelque chose...

— Bah ! nous avons tout le temps de bavarder d'ici à 10 h 30 ! Alors...

— Ecoute une minute ! coupa Robert Lowe.

Il la regarda, puis détourna les yeux.

— Qu'y a-t-il ?

— Rose et Charles ne viendront pas...

Au bout de quelques secondes, il ajouta :

— Personne ne viendra !

— Personne de chez moi ne viendra non plus, dit-elle vivement. Quelle importance ?

Elle sentit son cœur se serrer en voyant que Robert ne répondait pas.

— Ils pensent que je ne devrais pas t'épouser, marmonna-t-il enfin.

Le soleil était monté au-dessus de la haie campagnarde irrégulière, et sa lumière déjà forte tombait en plein sur Robert. Lucy le regarda fixement.

— Et pourquoi ? demanda-t-elle.

De nouveau, il garda le silence. Lentement, elle se dégagea.

— Ecoute ! dit-elle très doucement, gentiment. Je t'aime et, si mes parents ne comprennent pas encore très bien la situation, ta famille n'a pas à se faire du souci pour autant. Il ne faut pas qu'ils s'imaginent que c'est une question de... je ne sais pas, moi, de snobisme, que mes parents méprisent les tiens parce qu'ils sont...

— C'est justement ça, dit-il, avec un sourire décourageant. Ils ne veulent pas que je me marie avec toi parce que tu n'es pas de chez nous. Tu n'es qu'une fille de *gorgios*.

Lucy battit des paupières. Elle accusait le choc.

— Tu veux dire qu'ils ne me trouvent pas assez bien pour toi ?

Il acquiesça.

— Et tu leur permets de te dicter ta conduite ? Tu les laisses te traiter comme un gosse ?

Des larmes de rage et de chagrin lui montèrent aux yeux. Sans ajouter un mot, elle empoigna sa valise et repartit en courant vers la maison de ses parents.

CHAPITRE III

Déchiré par des émotions contradictoires, Robert Lowe regardait la fille qu'il s'était apprêté à épouser retourner chez elle en courant.

Il l'aimait et il la désirait, mais il vivait dans un monde où il était de toute première nécessité de tempérer ses émotions par le sens pratique. Or, une des premières obligations qu'imposait le sens pratique était de ne pas s'aliéner les siens. Les Lowe constituaient une grande famille dont les rejetons disséminés dans toute l'Angleterre et le pays de Galles restaient attachés entre eux par des liens indéfinis mais très forts. Ils avaient leurs règles propres. En fréquentant Lucy Brennan, Robert, mal à l'aise, avait senti qu'il en violait une, fondamentale. Lucy était une *gorgia,* une non-Gitane, objet de soupçons et de méfiance.

— Qu'est-ce qui te prend de vouloir te marier avec elle ? avait dit la mère. Cette fille n'est pas bonne pour toi ! Débarrasse-toi d'elle !

Il avait refusé. La mère Lowe avait insisté et en

avait appelé, d'une voix forte, à son mari et au reste de la famille. Il y avait eu des scènes, que Robert avait cachées à Lucy, supposant qu'elle supportait le même genre d'avanies de la part de ses propres parents.

Jusqu'à la toute dernière minute, obstiné, il avait refusé d'abandonner Lucy.

Avec l'argent qu'il avait gagné à biner les betteraves et ses économies, il avait acheté une petite caravane d'occasion et l'avait conduite à l'endroit où ses parents campaient. Sa mère lui avait ordonné de conduire cette caravane ailleurs, mais il avait fait la sourde oreille. Il avait entrepris de repeindre l'intérieur en jaune clair. Quand il était rentré, ce soir-là, il avait trouvé le pot de peinture renversé. La peinture s'était répandue sur le plancher... Furieux, il s'était précipité chez ses parents. La mère avait fait l'étonnée...

A mesure que le moment fixé pour le mariage approchait, Robert avait demandé aux autres membres de la famille, qui campaient aux environs, de le soutenir.

— Qu'est-ce que ça peut faire que ce soit une *gorgia*, voyons ? C'est une fille très bien, forte, qui a de la tête, et puis rudement instruite. Si nous nous aimons bien, après tout, qu'y a-t-il de mal à cela ?

Le père Lowe grommelait. Ce n'était pas une bonne idée ; aucune *gorgia* n'apprendrait jamais les usages des gens du voyage. Une *gorgia* ne pouvait que leur porter malheur. Son frère Charles lui-même, qui, pourtant, se rappelait Lucy pour l'avoir connue du temps qu'il allait à l'école à Harford, déclara que Robert s'attirerait très probablement des ennuis s'il épousait Lucy.

Dédaignant ces remontrances, Robert avait trouvé un autre emplacement pour sa caravane. Presque jusqu'à la dernière minute, il n'avait cessé de se bercer de l'espoir que ses parents finiraient par se laisser fléchir. Dans son monde, il n'y avait pour ainsi dire pas d'exemple qu'un jeune homme se fût jamais marié autrement qu'au milieu d'une grande famille en liesse. Il avait donc acheté un tonneau de bière, des paquets de chips, quatre pains tout coupés en tranches pour faire des sandwiches et un gâteau glacé. Il était fin prêt.

Cependant, la veille du mariage, quand il était allé chercher ses affaires dans la roulotte de ses parents, quelque chose de terrible s'était produit : sa mère l'avait maudit.

Elle avait jeté à ses pieds le ballot qui contenait ses vêtements en le regardant avec une intensité effrayante.

— Que ton cœur se flétrisse ! avait-elle lancé. Que ton amour se tourne en haine, si tu épouses cette fille ! Que tes espoirs s'écroulent ! Que le soleil ne brille jamais plus pour toi ! Puisses-tu porter la marque de ma malédiction jusqu'à mon dernier jour !

Voilà où il en était !

A présent, il regardait Lucy qui s'enfuyait, sa valise battant contre ses jambes et ses longs cheveux volant. Son choix était fait... Du moins le pensait-il.

Son choix... L'avait-il fixé définitivement ? Il se mit à courir, à grandes enjambées souples et silencieuses, le long de la haie. Il rattrapa Lucy juste au moment où elle allait atteindre les premières maisons. Sans mot dire, il lui arracha la valise de la main, lui fit faire demi-tour et l'entraîna en sens inverse, vivement.

Haletante, vaincue par l'effort de la course et par ses sanglots, elle n'avait pas la force de lui opposer la moindre résistance. Dès qu'ils ne furent plus en vue des habitations, il l'attira à l'abri de la haie et l'embrassa.

— Pardonne-moi, Lucy !

— Pourquoi ?

Du doigt, il effaça la trace de ses larmes.

— Pour t'avoir dit ce que je t'ai dit.

— Tu veux dire que ça n'était pas vrai ?

Il l'embrassa de nouveau.

— Si, c'est vrai, dit-il. Seulement, ça n'a pas d'importance. Ils pourront bien dire ce qu'ils voudront, tous ! Nous allons nous marier quand même.

Elle changea de toilette derrière la haie, passant la robe longue pour la seconde fois de la journée. Puis elle se recoiffa et se frotta le visage de son mouchoir pour faire disparaître toute trace de larmes. Elle retraversa la haie, déboucha sur la route et comprit, à l'expression de Robert, qu'aucune fille ne lui avait jamais paru aussi belle !...

Le vieux camion du jeune homme était garé au

bord de la route, tout près de là. Tous deux y montèrent et se rendirent à Harford, où ils burent du café et mangèrent des petits pains dans un milk-bar. Après quoi, ils allèrent à pied, main dans la main, au bureau de l'état civil.

Il n'y avait absolument personne, dans l'entrée, à part un homme très correct, à l'air grave, qui leur demanda leurs noms, s'ils avaient une licence, et où étaient leurs témoins. Lucy, décontenancée, se racla la gorge.

— Des témoins ? répéta-t-elle. Eh bien, aucun de nos parents n'a pu venir...

— Il n'est pas obligatoire que les témoins soient des membres de la famille, dit gentiment l'homme. Des amis peuvent très bien remplir cet office.

Il y eut une petite pause gênée, puis Robert grommela :

— Nous n'avons pas d'amis non plus !

— Dans ce cas, reprit l'homme, nous pouvons demander à deux passants de nous accorder quelques minutes. Ça s'est déjà fait.

Il les laissa quelques instants dans la salle d'attente. C'était une pièce nue, peinte en brun et d'une propreté douteuse, meublée de quelques chaises supportant des magazines défraîchis.

— J'ai l'impression que je suis venue me faire arracher une dent, chuchota Lucy.

Ils se mirent à glousser comme deux enfants intimidés. Puis l'homme revint et demanda à Lucy si elle voulait bien le suivre. Robert voulut l'accompagner.

— Non ! déclara l'homme. La jeune demoiselle, seule, si ça ne vous fait rien.

Il la conduisit dans un autre bureau, plus grand, plus propre, la présenta à un homme à l'air encore plus grave, puis se retira.

L'officier de l'état civil éparpilla les papiers qui encombraient son bureau, se racla la gorge.

— Eh bien, mademoiselle Brennan, dit-il enfin, je vois que vous avez l'intention d'épouser ce jeune homme... euh !... Robert Lowe.

Il leva les yeux, la regarda avec bienveillance.

— Etes-vous absolument certaine d'avoir pris là une bonne décision ?

Quelque chose, dans sa gentillesse même, rappela son père à Lucy. Elle serra fortement ses deux mains l'une contre l'autre et répondit d'une toute petite voix :

— Oui, monsieur, tout à fait sûre.

— Parce que, si vous avez la moindre hésitation, c'est le moment de le dire. Dans quelques minutes, il sera trop tard.

— Merci, mais je n'ai aucun doute.

— Le mariage est un acte très solennel, mademoiselle Brennan. Je remarque que ni vos parents ni ceux de monsieur Lowe ne sont là...

— Ils n'approuvent pas notre mariage, avoua-t-elle.

Puis elle ajouta, rapidement :

— Est-ce pour cela que vous... Enfin je veux dire, est-ce que ce sont mes parents qui vous ont demandé de me décourager ?

Il sourit.

— Votre père tenait à s'assurer que vous ne vous trompiez pas.

— Il n'avait aucun droit de s'en mêler ! protesta-t-elle, prenant feu immédiatement. Ce n'est pas chic de sa part de venir ici, derrière mon dos...

L'homme soupira.

— C'était assez naturel, mademoiselle, venant de quelqu'un qui a de l'affection pour vous. Mais, en effet, il n'a légalement aucun droit de se mêler de vos affaires. Alors, mademoiselle, si vous êtes tout à fait sûre de ne pas vous tromper..., si vous maintenez votre décision, nous allons procéder à la cérémonie, comme c'était prévu.

— Je suis tout à fait sûre de moi, affirma Lucy. Merci beaucoup.

La « cérémonie » fut courte, furtive, triste... Les deux témoins, que le secrétaire de l'état civil avait recrutés, au hasard, dans la rue, paraissaient encore plus nerveux que les deux mariés : il y avait une femme, dotée de dents de lapin et tenant un cabas à provisions (elle faisait ses courses quand le secrétaire l'avait abordée) ; l'autre témoin était un petit vieux osseux : il avait accepté de prêter son concours à condition qu'il n'aurait rien à payer et qu'on ne pourrait pas le tenir pour responsable du succès ou de l'échec du mariage.

Quand elle eut l'anneau tout simple à son doigt, Lucy se sentit envahie par une vague de joie soudaine qui se communiqua à Robert. Ils s'embrassèrent, ils rirent, ils remercièrent l'officier de l'état civil, et Lucy rit plus encore quand, regardant Robert, elle se rendit compte, soudain, qu'il avait l'air terriblement peu à sa place dans ce bureau au mobilier sévère.

« Il est vrai que je ne suis plus une personne ordinaire, moi non plus, pensa-t-elle. Du fait que je suis mariée à un vrai Gitan, je suis devenue une Gitane ! »

Tout cela semblait merveilleux. Elle riait encore en franchissant la porte de l'immeuble et en débouchant dans la rue, le bras de Robert autour de ses épaules. Puis le rire mourut sur ses lèvres. De l'autre côté de la rue, sa mère paraissait vouloir se cacher dans l'ombre d'une porte. Elle était pâle et semblait extrêmement malheureuse. Quand leurs regards se rencontrèrent, Jane Brennan eut un sourire hésitant, comme celui d'un enfant que l'on surprend en train de se régaler de confiture, et elle se détourna vivement, prête à prendre la fuite. Sans réfléchir, Lucy se dégagea du bras de Robert et, sans prendre garde aux autos, courut vers sa mère.

Cillant fortement pour refouler ses larmes, elle lui fit un sourire désinvolte.

— Eh bien, maman, me voilà mariée ! Tu me souhaites bonne chance ?

Le sourire resta en place, comme peint sur son visage, et se déforma à peine quand sa mère la saisit brusquement pour lui appliquer un baiser maladroit entre le menton et l'oreille.

— Dieu te bénisse ! murmura Jane simplement.

Elle s'éloigna rapidement, la tête basse.

— C'était bien ta maman ? demanda Robert, comme ils remontaient dans le camion.

— Oui.

— Et alors, que veut-elle ?

— Elle était simplement venue pour nous souhaiter bonne chance, à tous les deux.

— A tous les deux ? répliqua-t-il, l'air songeur.

— Bien sûr, dit-elle.

Elle ajouta vivement :

— Attends un peu, ils ne tarderont pas à nous demander d'aller les voir ! Donne-leur du temps, simplement.

Robert ne répondit pas. Tous deux sortirent de Harford. Il pensait à sa propre mère et à la malédiction solennelle qu'elle lui avait lancée la veille. Il ne croyait pas aux malédictions ! Tout de même, cela l'impressionnait. C'était comme un frisson qui lui courait le long de l'épine dorsale.

Il n'en parlerait jamais à Lucy.

Par chance, ils obtinrent l'autorisation de garer la caravane dans le vieux verger qui dépendait de la ferme de Gooseneck. La famille Lowe, il est vrai, avait fait souvent des travaux occasionnels dans cette ferme, et le fermier avait un préjugé favorable à l'égard de Robert. En outre, il avait voulu lui être agréable à l'occasion de son mariage.

— Il a dit que nous pourrons rester jusqu'après

la récolte des pommes de terre, expliqua Robert. Eh bien, qu'en penses-tu ?

Le portail de la ferme franchi, il coupa le moteur du camion.

Lucy ne bougea pas de son siège. Elle regarda le décor, longuement, examinant tout : l'herbe haute et sèche, les pommiers et les pruniers noueux qui projetaient leurs ombres inégales sur le toit de la caravane, et apprécia ce silence, surtout, cette paix.

— C'est magnifique ! murmura-t-elle.

— Viens voir ! fit-il soudain, impatient.

Ils « dégringolèrent » du camion. Il y avait des quantités de scabieuses sauvages, dans l'herbe. Lucy voulut s'arrêter pour en cueillir, mais il l'appela et lui dit de se dépêcher.

— Viens donc voir comme je l'ai installée, continua-t-il, tirant la clef de sa poche et ouvrant la porte de la caravane.

Elle monta les marches, entra et s'extasia devant tout : les rideaux et les garnitures des couchettes, en vichy à carreaux ; les parois et le plafond peints en jaune clair, et, au-dessus du petit fourneau, l'étagère sur laquelle se trouvaient des casseroles, des tasses, des assiettes, tout cela absolument neuf. Robert semblait avoir pensé à tout. Il y avait de l'épicerie dans le placard, de l'eau potable stockée dans des récipients de plastique, et même un bouquet de pâquerettes sur la table !

Lucy s'assit sur la couchette.

— C'est magnifique ! répéta-t-elle. Personne ne pourrait avoir une plus jolie petite maison.

Il fronça les sourcils.

— Une maison ?

— Enfin, je veux dire, un foyer...

— J'ai voulu que ce soit joli, poursuivit-il, tout content. Et je voulais que ça soit vraiment une surprise pour toi.

— Eh bien, tu as réussi ! Je voudrais bien, simplement, que ma mère et mon père puissent...

Sa voix mourut.

— Ils viendront, dit-il, s'asseyant à côté d'elle.

Il lui prit la main.

— Ce n'est pas qu'ils ne t'aiment pas, Robert ! Ne va pas t'imaginer cela, surtout...

— Non, répliqua-t-il, attirant les doigts de Lucy sur son genou, les écartant et regardant le soleil jouer sur l'alliance toute neuve.

— Robert, les tiens ne m'en veulent pas, n'est-ce pas ?

— Non, répondit-il, se rappelant le visage de sa mère quand elle l'avait maudit. Non, ils ne t'en veulent pas.

— Franchement, je ne vois pas pourquoi nous ne pourrions pas tous être bons amis, avec le temps, dit-elle, serrant les doigts de Robert avec une force possessive. Pas simplement tes parents et les miens, mais nos deux familles entières. C'est tellement stupide de ne pas être tous bons amis, n'est-ce pas ?

Il l'embrassa, l'attira contre lui, et ils s'abandonnèrent l'un à l'autre. C'était la première fois, et l'émerveillement de la découverte était, dans un sens, plus impressionnant encore que l'extase amoureuse elle-même.

— Tu es magnifique ! dit-il, les yeux baissés sur elle.

« Magnifique ! » Ils ne semblaient avoir que ce mot-là à la bouche, tous les deux, durant toute cette journée.

Plus tard, Robert sortit de la bière, une partie des sandwiches qu'il avait confectionnés, et finalement le gâteau de mariage. Devant la caravane, il foula une petite place dans l'herbe haute, étala une nappe ; ils pique-niquèrent. Chacun but à la santé de l'autre, et ils se persuadèrent facilement qu'ils n'avaient besoin de la présence de personne d'autre. L'univers qui leur suffisait, c'était ce verger ensoleillé, tout vibrant du bourdonnement des abeilles sauvages, tout embaumé du parfum de l'herbe écrasée.

Ils découpèrent le gâteau, agenouillés côte à côte, tenant tous deux le manche du couteau.

— Les gens ne savent pas ce qu'ils perdent, hein ? s'écria-t-elle gaiement.

— C'est bien fait pour eux, répondit-il, la bouche pleine. Et tant mieux pour nous !

La lumière baissait peu à peu, et les troncs tourmentés des vieux arbres fruitiers paraissaient noirs, maintenant. Quelque part, un hibou lança son ululement sinistre.

— Tu es bien sûr que tu m'aimes ? demanda-t-elle soudain. Et que tout ira bien ?

Il ne répondit pas, mais la douceur avec laquelle il la prit de nouveau dans ses bras, là, en plein air, la rassura mieux qu'aucun mot ne l'aurait fait.

CHAPITRE IV

Ils eurent dix jours rien que pour eux, pour eux seuls, qu'ils passèrent dans la caravane et dans le verger. Ce furent des journées qu'ils employèrent à s'aimer, à rêver et à rester étendus côte à côte dans l'herbe haute, à bavarder.

Ils parlaient de leurs familles. Robert était moins prolixe que Lucy sur ce sujet, mais, tout de même, une fois ou deux, il se départit un peu de sa réserve. Ce qu'il racontait paraissait très amusant à Lucy, et elle lui posait mille questions.

Il lui parla de son cousin, Denis, celui qui portait toujours autour du cou le foulard à pois traditionnel et dont le père avait été avaleur de sabres dans les foires. Il lui parla de sa grand-tante, Cécile, qui vivait dans le sud du pays de Galles et que l'on avait conduite un jour au chevet du fils d'un vrai duc, fort malade. Elle avait confondu tous les médecins en diagnostiquant la maladie de l'enfant d'après une boucle de ses cheveux.

— Et elle avait raison ?

— Oui. Elle lui a fait manger une belette bouillie dans une infusion de gui.

— Pouah !

— Tu peux faire « pouah ! » ; ça l'a guéri !

— Qu'est-ce qu'il avait donc ?

— La douve du foie.

— La douve ? Mais je croyais que c'était une maladie des moutons ?

— Des moutons, répliqua Robert, amusé, mais aussi des gens, quelquefois, et même des aristocrates.

Elle avait l'impression qu'elle se rapprochait peu à peu de lui, qu'elle le comprenait de mieux en mieux, qu'elle s'habituait à sa façon de vivre. Mais leurs relations subirent le premier choc grave l'après-midi où elle s'aperçut qu'il ne savait ni lire ni écrire.

— Je ne sais pas, avoua-t-il, détournant les yeux du visage choqué de sa femme, c'est un coup que je n'ai jamais pu attraper.

Lucy se rappela l'école de Harford. Les garçons et les filles comme elle étaient en section A ; les sujets peu doués et les Gitans étaient relégués en section D où ils comptaient sur leurs doigts et « bricolaient » avec de la pâte à modeler ou s'adonnaient à des passe-temps du même genre.

— Ce n'est pas ta faute, dit-elle. Tu n'y pouvais rien, si tes parents changeaient sans cesse d'endroit et si tu changeais de classe...

Cependant, elle était soudain effrayée. Elle était mariée avec un analphabète ! Cela signifiait clairement qu'il y avait un certain nombre de choses qu'ils ne pourraient jamais avoir en commun.

Elle se leva, prit le récipient de plastique et partit en direction de la cour de la ferme. On les avait autorisés à se ravitailler en eau au robinet de la cour.

Le fermier était là, qui réparait un tracteur.

Il salua Lucy d'un signe de tête, puis il dit :

— On commence le ramassage des pommes de terre lundi. Quand les autres vont-ils arriver ?

— Les autres ?

— Eh bien, oui, les autres Lowe ! Qu'est-ce que vous pensiez ?

Lucy eut un sourire embarrassé.

— Oh ! je ne sais trop ! Mais mon... mari doit savoir, lui.

L'homme laissa son tracteur et s'approcha de la jeune femme en s'essuyant les mains sur son pantalon.

— Vous n'êtes pas des leurs, n'est-ce pas ? demanda-t-il doucement. Vous n'êtes pas une Gitane ?

— J'en suis une, maintenant, répondit-elle, sur la défensive.

L'eau avait atteint le haut du récipient. Elle ferma le robinet.

— Vous êtes vraiment mariée avec lui ?

Elle n'aimait pas l'expression curieuse des yeux gris du fermier.

— Bien sûr, nous sommes mariés ! Je me demande si ça vous regarde, d'ailleurs.

L'incident lui fit oublier l'ennui qu'elle avait

ressenti en découvrant que Robert était analphabète. Lorsqu'elle s'en retourna, elle éprouvait une fierté accrue à l'idée qu'elle appartenait à Robert, qu'elle vivait comme lui. A ce moment, ce mode de vie lui paraissait soutenir avantageusement la comparaison avec le confort petit-bourgeois du fermier et des siens.

Quand elle arriva dans le verger, elle constata avec stupéfaction que le camion avait disparu. Elle regarda le chemin qui montait vers la route mais ne vit pas trace du véhicule. Traînant le récipient plein d'eau, elle franchit le portail du verger en direction de la caravane et s'aperçut que la porte en était fermée à clef. Elle appela : « Robert ! », et regarda par la fenêtre, puis courut inspecter l'autre côté et ne vit aucun signe de lui.

Stupéfaite, elle s'assit sur les marches, les bras autour de ses genoux. Où était-il parti ? Pourquoi ne lui avait-il rien dit ? L'avait-elle profondément troublé en laissant paraître sa surprise quand elle avait découvert qu'il ne savait ni lire ni écrire ?

Elle resta assise, là, longtemps, à ressasser des idées noires... Quand elle entendit le camion redescendre le chemin, elle eut peur d'aller à sa rencontre. Mais Robert souriait en venant vers elle. Il fouettait l'herbe d'une badine. Sous le bras, il portait un petit chiot bâtard.

Elle courut à lui, du coup, riant de surprise et de soulagement.

— Où diable étais-tu passé ? Pourquoi es-tu parti sans rien me dire ?

— J'avais promis de voir quelqu'un !

— Mais... quand ça ?

— Oh ! il y a une semaine ou deux !

Il lui tendit le chiot.

— J'étais tellement inquiète, Robert ! dit-elle.

Il la regarda, sans comprendre.

— Inquiète ? Pourquoi ?

Elle baissa la tête sur le petit chien, qui la flaira puis s'installa plus confortablement dans ses bras.

— Je finissais par croire que tu étais parti parce que tu en avais assez... Peut-être as-tu cru que je me sentais supérieure parce que tu ne sais ni lire ni écrire, mais je ne voulais pas...

— Oh ! pas du tout ! répliqua-t-il.

Lucy regarda les yeux bleu clair, dans le visage carré, hâlé. Elle n'aurait su dire s'il avait disparu parce qu'il était contrarié ou, chose plus déconcertante, parce que c'était une réaction normale de sa part, simplement.

— Où l'as-tu eu ? demanda-t-elle, caressant la tête du chien.

— Je viens de te le dire. J'avais quelqu'un à voir et c'est chez lui que je me suis procuré ce petit animal.

« Il ne veut me dire ni le nom de ce quelqu'un ni l'endroit où il a été ! » pensa-t-elle.

— C'était horrible de ne pouvoir entrer dans la caravane !

Cette fois, il la regarda d'un air vraiment soucieux.

— Je ne t'avais donc pas donné de clef ? dit-il,

fouillant dans sa poche. Tiens, en voici une pour toi. Garde-la.

Elle la prit et, soudain, se sentit soulagée et infiniment heureuse.

Par la suite, ce fut Robert qui revint de lui-même sur son manque d'instruction :

— Je n'aurais pas demandé mieux que d'être instruit. Ça doit être bien de savoir lire et écrire.

— Oui, naturellement, répliqua-t-elle. Mais ne t'inquiète pas, tu as su faire le plus important.

Il la regarda, ne comprenant pas ce qu'elle avait voulu dire. Elle gloussa.

— Tu as signé ton nom sur le registre, quand nous nous sommes mariés, pas vrai ?

— Oui, bien sûr, j'ai signé. Mais je n'ai réussi que parce que j'étais resté tard, la veille au soir, à m'exercer...

Ils rirent, ils s'aimèrent et ils furent heureux, encore. Plus tard, alors qu'ils se reposaient, étendus avec le petit chien paisiblement endormi entre eux, elle pensa à la conversation qu'elle avait eue avec le fermier, dans la matinée.

— Le ramassage des pommes de terre commence lundi, dit-elle. Quand les autres Lowe arriveront-ils ?

Oui, quand ? Robert ne lui avait même pas dit qu'ils devaient venir !

Mais s'il n'en avait rien dit, ce n'était pas que l'arrivée imminente de sa famille le laissât indifférent. Loin de là ! Et, à mesure que les derniers jours de rêve s'écoulaient dans le verger, dans leur solitude à deux, Robert s'armait de courage pour affronter le retour à la dureté de son mode de vie antérieur, et la perspective d'être mis à l'index par la majorité des autres Lowe. Une perspective qui n'avait rien d'agréable.

Une ou deux fois, il avait été sur le point de parler à Lucy de la malédiction que sa mère avait jetée sur leur mariage. Il aurait voulu pouvoir lui raconter cela d'un ton léger, en manière de plaisanterie, mais il n'avait pas su trouver les mots qui auraient convenu. Il ne savait pas ce qu'il redoutait le plus : que Lucy réagît de façon méprisante ou qu'elle le quittât, effrayée.

Si bien qu'il ne dit rien. Il ne cessait de s'émerveiller, en lui-même, de l'aptitude que la jeune femme avait à exprimer ses sentiments avec l'aisance et la simplicité d'une enfant. C'était quelque chose de nouveau pour lui parce que aucun Gitan n'avait cette aisance. Peut-être leur ethnie l'avait-elle possédée, jadis, avant que l'expérience leur eût appris la nécessité de la prudence devant un monde hostile.

Ils appelèrent le chien Zip. Il les suivait partout, jappant et mordillant tout, puis se pelotonnait pour dormir sur la couchette, la nuit.

Le samedi, quand ils allèrent à Harford, Lucy acheta à Zip un collier rouge et une laisse.

Elle ouvrit aussi un compte postal à son nom et à celui de Robert et y versa la somme que ses parents lui avaient remise en guise de cadeau de mariage.

— J'ai mis l'argent à notre nom à tous les deux parce qu'il nous appartient à tous les deux, expliqua-t-elle, en revenant vers lui. Mais gardons-le pour une occasion particulière.

— Tu es sûre que l'opération a été effectuée d'une façon régulière ? demanda-t-il, regardant le livret d'un air soupçonneux. N'importe qui pourrait écrire dedans ! insista-t-il. Il suffirait d'être assez instruit...

— Ne t'inquiète pas, coupa-t-elle, l'entraînant hors du bureau de poste. Laisse-moi donc m'occuper de ces choses-là !

Tard le samedi, Robert fut réveillé par le ronronnement discret d'un moteur de camion. Il regarda par la fenêtre baignée de clair de lune et vit que la première des caravanes remorquées entrait dans le verger. Il reconnut la roulotte de son frère.

Tandis que Lucy et le chien dormaient, il regarda les autres véhicules entrer lourdement, chacun à son tour, par le portail ouvert : la roulotte bleu vif du cousin Denis, puis celle de l'oncle Joseph et de la tante Emma, qui fut doucement et adroitement conduite tout contre la haie, puis encore la grande remorque crème qui appartenait à son père et à sa mère.

Tout fut fait avec le minimum de bruit ; c'est tout juste si un bébé pleurnicha un instant. Puis les phares des camions s'éteignirent, et ce fut le silence complet. Robert se recoucha, enfouit son visage dans les longs cheveux de Lucy et se rendormit.

Le lendemain matin, Lucy fut stupéfaite de voir le campement en ouvrant la porte de la caravane pour accueillir le soleil matinal.

— Comment sont-ils donc arrivés ?

— En volant, sans doute, dit Robert.

— Mais, à les voir, tous, on dirait qu'ils sont ici depuis des semaines...

C'était vrai. Des cordes à linge étaient tendues entre les arbres et déjà chargées de draps et de vêtements. Charles fendait du bois et les enfants du cousin Denis apportaient des poignées d'herbe à un poney pie attaché tout près du camion de l'oncle Joseph. A côté de la caravane de Charles, on voyait une petite voiture d'enfant de piètre apparence, dont la capote était relevée. Et toute la scène était assaisonnée des miaulements de la musique *pop* s'échappant d'un transistor invisible.

Seule, la grande caravane crème, au milieu, restait fermée et vigilante comme le gros chien de berger écossais attaché à côté de la porte.

— Quelle est la caravane de tes parents ?

— Celle-là.

— Oh ! fit Lucy.

Elle alla se recoiffer devant le miroir.

Robert et Lucy prenaient leur petit déjeuner sur la table pliante quand un coup bref fut frappé à la porte. Charles entra. Il était petit, avait les épaules puissantes, sa tête était couverte de boucles brunes épaisses. Il sourit à Lucy et demanda si ça lui plaisait d'être une Gitane.

— C'est formidable ! s'écria-t-elle en lui versant une tasse de thé.

— Tu as vu maman ? demanda-t-il à Robert.

— Non, pas encore.

— Nous lui avons gardé un morceau de notre gâteau de noces, risqua Lucy.

Mais Charles fit semblant de ne pas avoir entendu.

— Il faudra bien que tu finisses par la voir, reprit-il en s'adressant à Robert. Il vaut mieux que tu en finisses le plus vite possible, mon vieux.

— Si elle veut nous voir, elle sait où nous sommes, grommela Robert. Et ça vaut pour tous les autres, aussi.

Charles haussa les épaules, termina sa tasse de thé et se disposa à s'en aller. Il alla jusqu'à la porte, puis revint planter un baiser cérémonieux au milieu du front de Lucy.

— Bienvenue, sœurette ! dit-il.

A mesure que la matinée avançait, Lucy prenait conscience d'être le point de mire d'innombrables yeux. Personne ne vint rendre visite au jeune ménage, mais, deux petits enfants ébouriffés s'étant risqués à un mètre de la caravane, Lucy leur offrit un biscuit à chacun ; ils hochèrent négativement la tête mais continuèrent à la regarder fixement, suçant leur pouce, l'air grave.

Agitée, nerveuse, Lucy balaya la caravane, épousseta, rangea la vaisselle sur l'étagère. Elle prépara le déjeuner. Robert et elle mangèrent dans un silence tendu.

Finalement, elle lui proposa de faire un tour avec le camion, l'après-midi.

— Non ! répondit Robert. Nous aurions l'air de les fuir.

Elle posa son couteau et sa fourchette et le regarda sérieusement.

— Ta famille m'est plus hostile que tu n'as bien voulu me le dire, n'est-ce pas, Robert ?

— Ils sont toujours contre ce qu'ils ne comprennent pas, répliqua-t-il sèchement.

— Mais suis-je vraiment aussi différente que cela des femmes de ton clan ? Leur suis-je si... étrangère ? demanda-t-elle tristement.

— Aussi étrangère pour eux que je peux l'être pour les gens de ta famille, je crois. Nous savions bien qu'il en serait ainsi, pas vrai ?

Elle lui prit la main.

— Mais ça t'est égal, n'est-ce pas, Robert ? Tu es toujours aussi sûr que ça n'a pas d'importance ?

— Y a-t-il encore des patates ? J'ai faim !

La convocation arriva vers 15 heures. Une petite fille maigre d'une dizaine d'années vint frapper du poing la porte ouverte et cria :

— Maman dit qu'elle veut te voir !

Elle s'enfuit aussitôt.

Robert somnolait sur la couchette, et Lucy se préparait à braver la curiosité des autres et à emmener Zip en promenade.

— Eh bien, que va-t-il se passer, maintenant ? demanda-t-elle.

— Je ferais aussi bien d'y aller.

— Son invitation s'adresse-t-elle à moi aussi ?

— Je ne sais pas. Sans doute.

Il quitta la couchette. Lucy sentit sa colère s'éveiller devant ce manque de savoir-vivre. Si c'était là l'effet que les membres de sa précieuse famille lui faisaient, moins elle les verrait, mieux cela vaudrait ! Elle lissa ses cheveux derrière ses oreilles, redressa sa jupe.

— Alors, y allons-nous ? dit-elle.

Laissant Zip chez eux, ils se dirigèrent à pas lents vers la caravane arrêtée au centre du campement et qui paraissait un palais en comparaison des autres. Les fenêtres étaient grandes, d'une propreté rigoureuse, garnies de rideaux de dentelle relevés par des rubans bleus. Des pots de géranium ornaient le toit. La porte avait un heurtoir de cuivre en forme de dauphin. Le chien noir gardait l'entrée.

Robert ouvrit la porte d'une poussée...

Etant enfants, Robert et sa sœur avaient été reçus, une fois, chez Lucy, mais Isabelle Lowe n'avait jamais rendu cette invitation.

Lucy fut éblouie par une douce et merveilleuse

lumière. Comme piégé, le soleil se frayait un chemin au travers du feuillage des vieux arbres fruitiers jusqu'à l'intérieur de la caravane d'Isabelle Lowe où il faisait scintiller le verre taillé, se réfléchissait sur les chromes et arrachait de petites flèches de lumière aux cuivres et aux laitons bien astiqués. Toute surface disponible foisonnait d'ornements qui captaient le soleil et le renvoyaient en taches dansantes sur les tapis, les couvertures et les coussins aux couleurs vives. Il y avait un chatoiement de coloris inouï. Instinctivement, Lucy songea que c'était là le foyer d'une femme dont la fierté devait être plus farouche que celle des reines de l'Ancien Testament.

Isabelle Lowe, vêtue d'une blouse de tissu imprimé sans manches recouvrant une robe de satin, était assise sur une couchette, sous la fenêtre la plus éloignée de la porte. Lucy reconnut les yeux bleu vif, dans un visage au hâle doré, et la façon dont les cheveux, d'un blond ardent, étaient huilés et enroulés autour de la tête en une combinaison compliquée de petites tresses. Le soleil faisait briller les lourds anneaux d'or aux oreilles de la femme et une grosse broche d'or qui attachait son col, une broche qui portait le mot *Mère*, gravé dans un caractère tarabiscoté.

— Il y a du thé dans le pot, dit Isabelle Lowe à son fils.

Sans mot dire, il alla à l'endroit qui servait de cuisine, remplit trois tasses et les sucra abondamment.

— Bonjour, madame Lowe, dit Lucy, avec toute l'assurance qu'elle avait pu rassembler.

Pour toute réponse, elle eut droit à un bref signe de tête.

— Où papa est-il allé ? demanda Robert, qui venait les retrouver avec le thé.

Il fit signe à Lucy de s'asseoir. Après une légère hésitation, elle obéit. Isabelle Lowe continuait à feindre d'ignorer sa belle-fille.

— Du côté du moulin de Lawford, dit-elle. Il est allé voir quelque chose.

Le silence retomba.

— Le travail commence demain, pour les patates, dit enfin Robert. On pense que la récolte sera bonne.

— La fille va faire le ramassage ?

— Si elle veut.

— Elle l'a déjà fait ?

Lucy se rendit compte brusquement que c'était d'elle qu'ils parlaient ! Ne lui donnaient-ils pas à entendre qu'ils ignoraient sa présence et qu'ils la croyaient incapable de répondre elle-même ?

— Je n'ai encore jamais ramassé les pommes de terre, déclara-t-elle, mais je pense que je saurai vite comment m'y prendre.

— Elle aura sûrement les reins brisés au bout de deux heures, fit remarquer Isabelle Lowe.

— Elle est assez solide, grommela Robert.

— Quel âge a-t-elle ? Elle va sur ses vingt ans ?

L'énervement et l'indignation qui bouillonnaient en Lucy depuis un moment arrivaient à un point limite. Elle posa sa tasse de thé et s'écria :

— Robert, avant de sortir d'ici, j'ai deux choses à dire ! D'abord, voudrais-tu cesser de parler de moi comme si je n'étais pas là ? Ensuite, veux-tu, je te prie, informer ta mère que je ne suis ni sourde ni muette et que je suis tout à fait capable de répondre moi-même aux questions qu'elle voudra bien me poser ?

Elle se leva et regarda Isabelle Lowe d'un air de défi.

— Eh bien, y a-t-il autre chose que vous désireriez savoir ?

— Oui, répliqua Isabelle Lowe, fronçant les sourcils à son tour. Je voudrais savoir pourquoi vous vous êtes fait épouser par mon fils.

— Si nous nous sommes mariés, votre fils et moi, c'est parce que nous nous aimions, dit Lucy. C'est ce que je pensais, du moins.

Elle se tourna vers Robert, qui évita son regard.

— Vous l'avez « emberlificoté », voilà tout, avec vos façons sournoises de *gorgia !* lança la mère.

— Sournoises ? répéta Lucy, à qui avait échappé un petit hoquet de surprise.

Elle respira à fond pour essayer de se calmer.

— Ecoutez, madame Lowe, reprit-elle, je désire que nous soyons amies, mais vous rendez les choses bien difficiles.

— Nos façons sont différentes, grommela Isabelle Lowe. Vous n'êtes pas des nôtres et vous ne le serez jamais !

— Cela me convient parfaitement, répliqua Lucy. C'est Robert que j'ai épousé, non sa famille.

— Si vous avez épousé mon gars, il faut que vous comptiez avec nous tous, que cela vous convienne ou non.

— Si vous vous figurez...

— Et je ne veux pas de vos airs insolents chez moi ! lança Isabelle Lowe.

Elle se leva, et mille petits reflets scintillants se mirent à frissonner et à danser dans la caravane.

— Vous n'êtes qu'une sale *gorgia* ! lança-t-elle encore.

Lucy, les lèvres blanches, regardait fixement les yeux bleus flamboyants.

— Vous m'injuriez, dit-elle d'une voix tremblante, mais vous ne vous êtes pas fait scrupule d'habiller vos enfants avec mes vieilles nippes, n'est-ce pas ? Je me souviens que — j'étais petite alors — vous êtes venue à notre porte. Vous appeliez ma mère « chère bonne madame » et vous la remerciiez d'avoir eu la gentillesse de vous avoir donné un ballot de vieux vêtements...

— Si nous portons vos vieux vêtements, c'est parce que vous autres, *gorgios,* vous nous avez volé le droit de porter quoi que ce soit d'autre. Vous nous avez pris tout ce qui nous appartenait et vous avez essayé de nous faire vivre comme des porcs. Vous ne vous attendez tout de même pas que nous vous aimions, par-dessus le marché ?

Les mots fusaient, amers, haineux, ricochant sur les parois bariolées de la caravane. D'autres suivirent, violents, qui traduisaient une vie d'amertume et de provocations. Lucy avait gagné la porte.

— Je ne vous ai jamais rien pris, madame Lowe, dit-elle. Au contraire, j'ai simplement voulu appartenir à votre fils.

Elle retraversa le verger, le menton levé, désagréablement consciente que tout le reste de la famille avait entendu chaque mot de l'altercation.

Robert revint peu après et trouva Lucy en train de repasser des jeans.

— Ce sont les tiens... ou les miens ? demanda-t-il.

— Les miens.

— Tu ne t'en vas pas, non ? fit-il, soudain apeuré.

— Non. Pourquoi m'en irais-je ? Ma place est ici.

Il s'approcha d'elle, alors, et l'entoura de ses bras. Et, pour une fois, les mots lui vinrent très facilement :

— Je t'aime, mon petit. Et j'aime bien la façon dont tu lui as résisté.

— Si je l'ai fait, ce n'est sûrement pas grâce à toi, répliqua-t-elle. Tu n'as pas trouvé grand-chose à dire pour me défendre, pas vrai ?

— Bien, tu sais, affirma-t-il d'un air malin, les hommes ne doivent jamais se mêler des disputes des femmes. C'est mon père qui m'a appris ça.

— C'est pour cela qu'il n'était pas là, peut-être ?

— Peut-être.

Il sourit et cacha son visage dans le rideau épais des cheveux qui tombaient sur l'épaule de Lucy.

— Je suis désolé de ce qui s'est passé, reprit-il. J'espérais que tu aimerais bien ma mère.

Lucy se dégagea, disposa son fer, au bout de la planche, puis se retourna vers lui. Ils étaient mariés depuis dix jours seulement et, pourtant, on pouvait déjà discerner en elle quelque chose de plus vieux, de plus mûr.

— Elle ne me déplaît pas, Robert. Et même, il se pourrait que nous finissions par être amies. Après tout, nous avons encore beaucoup de chemin à faire, n'est-ce pas ?

CHAPITRE V

En prédisant à Lucy un fort mal aux reins lorsqu'elle aurait ramassé des pommes de terre pendant deux heures, sa belle-mère savait ce dont elle parlait...

Ce fut lorsque le petit groupe reprit le travail après le repos de midi, le premier jour, que la douleur se fit vraiment sentir, et Lucy, au premier geste qu'elle fit pour se baisser sur la ligne des pommes de terre que la charrue avait extirpées du champ, se redressa avec un hoquet de douleur. Elle resta là un moment, à masser le creux de ses reins, jusqu'au moment où Madeleine, la femme de Charles, qui travaillait à la rangée voisine, la dépassa.

Lucy observa la progression rapide de Madeleine. La jeune femme avançait à la façon d'un crabe, et paraissait ramasser les pommes de terre sans fatigue, à une vitesse prodigieuse. Elle les lançait dans un grand baquet, déplaçant ses pieds de façon continue, presque sans les lever. Lucy remarqua que chacun avait une façon particulière de travailler. Certains avançaient à petits pas de côté, d'autres, à califourchon sur leur ligne ; certains se déplaçaient le long de la rangée à quatre pattes, mais la plupart restaient debout.

En tout cas, les pommes de terre disparaissaient avec une rapidité étonnante, une rapidité qu'elle n'eût pas crue possible.

Lucy se remit au travail, se baissant, ramassant, jetant, avançant... Quand le panier fut plein, elle parvint en trébuchant sous son poids jusqu'à la grande caisse posée au bout de sa rangée. La plupart des autres ramasseurs en étaient à leur quatrième caisse qu'elle en était encore à terminer sa première mais, quand elle leva la tête vers Robert, qui travaillait à quelques rangées d'elle, il lui adressa un sourire d'encouragement.

La plupart du temps, ce travail s'effectuait dans un silence pesant. Chaque ramasseur était enfermé dans son univers personnel de sueur et de fatigue où la seule perspective était de recevoir de l'argent à la fin du travail, une liasse de billets froissés, ces billets que le fermier compterait lentement et soigneusement, les remettant un par un dans chaque paume calleuse encore souillée de terre.

La femme de Charles fut la première à témoigner de l'amitié à Lucy. C'était une jolie fille avec des cheveux noirs épais et une voix rauque de Gitane. Quand ils s'arrêtèrent, pour une courte pause, au milieu de l'après-midi, elle s'assit à côté de Lucy, à l'ombre de la haie, pour donner le sein à son dernier-né.

— Garçon ou fille ? demanda Lucy, caressant d'un index prudent le fin duvet sur le petit crâne rond.

— Fille ! soupira Madeleine. C'est la troisième.

— Vous avez déjà trois enfants, Charles et vous ? s'écria Lucy, surprise. Robert ne m'avait pas dit ça !

— Je me suis mariée à seize ans, grommela Madeleine.

— Et les deux autres, où sont-elles ?

— Là-bas...

D'un mouvement du menton, elle désignait un grand frêne au pied duquel Isabelle Lowe était assise, les jambes allongées devant elle, les manches roulées. Isabelle buvait du thé froid à la régalade, dans une bouteille de bière. Deux petites filles, dont l'une marchait à peine, trébuchait et tombait, se trouvaient près d'elle.

— Elle aime les gosses, c'est incroyable ! dit Madeleine. Tous les gosses.

Lucy ne répondit pas. Elle observait sa belle-mère qui jouait avec ses petits-enfants, les chatouillant et leur donnant de petites tapes gentilles, comme une renarde aurait pu le faire avec ses renardeaux. Les petites riaient, se bousculaient et finissaient par tomber dans les bras tendus de leur grand-mère, couvrant de baisers le puissant visage hâlé. Dans la chaleur de l'après-midi, cette scène avait une beauté étrange et inattendue.

Lucy contempla la terre recuite, les caisses pleines de pommes de terre empilées au bout du champ, et le conducteur du tracteur assis tout seul à l'écart, un journal sur le visage, à cause du soleil et des mouches ; puis « sa famille »... Les Gitans, les Bohémiens, les Romanis — les gens du voyage, puisqu'ils préféraient être ainsi appelés — couchés indolemment à l'ombre, bien à l'aise. Elle ne leur avait toujours pas été officiellement présentée, mais ils semblaient, pour la plupart, accepter sa présence comme allant de soi. Elle les observait à tour de rôle : la tante Emma et l'oncle Joseph, qui fumait béatement des cigarettes roulées à la main ; le cousin Denis, avec son chapeau noir à larges bords rabattus sur les yeux, assis à côté de sa femme, Marie, tandis que leurs trois enfants, un peu assommés par la chaleur, psalmodiaient un air de leur invention en jouant à un jeu incompréhensible. A côté de Lucy, Robert était effondré, sa tête décolorée par le soleil courbée de lassitude ; non loin d'eux, Madeleine se relevait sur un coude ; ses seins blancs gonflés sortaient impudemment du corsage ouvert de sa robe fanée.

« Ma famille », pensa Lucy, non sans quelque stupéfaction, en les passant en revue.

Voyant que sa belle-mère avait les yeux tournés vers elle, Lucy lui fit rapidement un petit sourire timide auquel il fut répondu par un regard impassible.

Le quatrième jour, Lucy se trouva travailler à côté de Jacob, son beau-père.

Jacob était un petit homme sec aux yeux noirs profondément enfoncés dans un visage couturé. Il se déplaçait silencieusement le long de sa rangée, se baissant et se redressant sans aucun effort apparent. A un moment, elle essaya d'engager la conversation avec lui, mais n'obtint pour réponse qu'un vague grognement. Pourtant, comme une douzaine de pommes de terre retombaient de son seau trop plein, il les jeta dans la bassine de Lucy.

— Merci beaucoup, monsieur Lowe.

— Ce n'est rien, marmonna-t-il.

Il alla vider son seau puis reprit sa place. Ils repartirent parallèlement, le long des rangées interminables de terre bouleversée, mais il semblait maintenant à Lucy que le silence régnant entre eux était moins lourd.

Peu à peu, le dos de Lucy lui faisait moins mal. Tout de même, chaque matin, à la reprise du travail, il restait encore raide durant un certain temps... Les mains de la jeune femme s'endurcissaient, elles aussi. En regardant ses ongles courts et endeuillés, Lucy pensait avec nostalgie à la douceur des doigts blancs bien soignés qu'elle avait du temps qu'elle était sténo. C'était hier... mais il lui semblait que des années s'étaient écoulées...

Lucy préparait le dîner quand la police arriva. De la porte ouverte de la caravane, elle vit les deux agents descendre de leur auto sans se presser. Un silence étrange tomba sur le verger quand ils traversèrent l'herbe foulée. Elle vit Madeleine enlever précipitamment sa fille aînée de leur chemin. Le chien noir attaché à la porte de la caravane de Jacob et Isabelle Lowe retroussait sans bruit ses babines dans un rictus hargneux.

Jacob Lowe sortit de la caravane, et les deux arrivants lui parlèrent un moment. Puis, l'un se dirigea vers la caravane du cousin Denis tandis que l'autre venait tout droit vers la sienne.

Sans mot dire, Lucy s'écarta de la porte. Le corps massif du policier sembla remplir le petit réduit-cuisine.

— Le patron est-il là ?

L'homme était jeune, il avait le visage poupin et rose.

— Mon mari est là-bas, à la ferme, dit-elle. Il devrait revenir d'un moment à l'autre.

L'agent ne bougeait pas. Il regardait la table mise pour le repas et Zip, le petit chien, endormi sur la couchette.

— Vous désirez quelque chose ? demanda-t-elle.

Au lieu de répondre directement, l'agent tourna les yeux vers elle. Son regard était attentif, calme.

— Vous n'êtes pas... du voyage, vous, n'est-ce pas ?

— Si, dit-elle. Pourquoi ?

— Vous ne parlez pas comme eux.

— Nous ne parlons pas tous de la même manière.

Elle avait commencé par sourire mais son sourire s'évanouit quand l'idée lui vint que les gens de la police ne s'introduisaient pas ainsi, sans plus de façons, dans les maisons des gens ordinaires. Elle sentit un frisson d'inquiétude lui parcourir le dos.

— Voulez-vous me dire votre nom ? demanda-t-il.

Lucy tendit le bras pour éteindre le brûleur du butane, derrière lui.

— Lowe, murmura-t-elle, Lucy Lowe.

— Et... auquel êtes-vous mariée, madame Lowe ?

— Mon mari s'appelle Robert, reprit-elle froidement. Autre chose ?

Elle vit à son expression qu'il avait enregistré sa réaction peu aimable. Il accusait le coup.

— Oui, poursuivit-il. Nous cherchons de l'argenterie qui a été volée dans l'église de Great Wetherly. Deux plateaux d'argent et un gobelet.

— Qu'est-ce qui vous fait croire que nous sachions quelque chose à ce sujet ?

— C'est une simple vérification...

Lucy haussa les épaules.

— Bon ! Allez-y, vérifiez !

— Inutile ! affirma-t-il, sans cesser de la regarder. Je vous demande simplement si votre mari ou vous avez vu ces objets ?

— La réponse est non !

— Merci.

L'homme se dirigea vers la porte, puis s'arrêta.

— Je ne sais pas qui vous êtes ou ce que vous deviendrez, mais souvenez-vous que l'honnêteté est toujours la meilleure politique. Vous n'oublierez pas cela, n'est-ce pas, madame Lowe ?

Elle le regarda fixement ; ses yeux avaient foncé sous l'effet de sa fureur. Il descendit de la caravane et se dirigea vers celle qui appartenait à Madeleine et Charles.

Les agents rendirent visite à chacune des caravanes du verger. Leur auto était repartie quand Robert revint avec une cruche de lait et des œufs. Lucy lui raconta ce qui s'était passé.

— Je sais, dit-il. Je les ai vus.

— Pourquoi croient-ils que nous ayons quelque chose à voir dans cette histoire de vol ?

Il lui sourit.

— Je l'ignore, Lucy. L'habitude, sans doute.

La jeune femme reprit sévèrement :

— Robert, est-ce que ça ne te met pas en fureur ? Enfin, quel droit avait-il d'entrer ici et de me faire un sermon sur l'honnêteté ?

— Qui a fait ça ? Le *gavver ?*

— Le... quoi ? Qu'est-ce qu'un *gavver ?*

— Un flic... Oh ! ils n'y mettent pas de malice ! Ça n'a pas d'importance.

— Mais si ! C'est une atteinte aux droits et libertés de la personne humaine. On ne peut pas vous soupçonner sans raison...

— Ecoute, Lucy, je ne comprends rien à ces

grands mots que tu emploies, mais il y a une chose que tu dois bien comprendre : à partir du moment où tu es des nôtres et où tu as adopté la façon de vivre des gens du voyage, tu ne pourras plus jamais te débarrasser des *gavvers*. Ils seront toujours derrière toi, toujours à te demander ce que tu sais de ceci ou de cela, où tu as été et ce que tu comptes faire. Et si tu dis que tu n'as été nulle part et que tu n'as l'intention d'aller nulle part, ça ne leur va pas non plus. Ils continueront à te « tarabuster ». Tu peux être sûre que, si un vol a été commis dans un rayon de vingt miles, tu seras la première personne qu'ils viendront ennuyer. Et ça, simplement parce que tu es du voyage, tu comprends ?

— Ce n'est pas juste ! protesta-t-elle, révoltée.

— Peut-être, répondit-il. Mais il faudra bien que tu t'y fasses, comme nous sommes bien obligés de nous y faire, nous autres.

Elle servit alors le repas.

Comme ils mangeaient en silence, ses pensées vagabondaient. Sans savoir pourquoi, elle pensa à la sœur de Robert, Rose, la fille maigrichonne au visage semé de taches de rousseur qui, il y avait bien longtemps de cela, attendait le car de ramassage scolaire avec Robert et Charles. Elle demanda ce qu'elle était devenue. Où se trouvait-elle maintenant ?

— Elle est quelque part dans le Nord. Personne n'a entendu parler d'eux depuis le binage des betteraves.

— D'eux ?

— Oui, d'elle et de son mari.

— Elle est donc mariée ? Mon Dieu, Robert, on ne peut vraiment pas dire que tu sois bavard, tu sais ?

— Que veux-tu que je te dise ? Elle est mariée, voilà ! Tout le monde se marie, un jour ou l'autre...

Il « harponna » une autre pomme de terre.

— Et comment est-elle ? Elle a dû changer ?

— Elle va bien.

— Comment s'appelle son mari ?

— Numa.

— Numa ? Est-ce son prénom ou...

Elle s'impatientait de plus en plus devant le laconisme de son mari.

— C'est sous ce nom qu'il est connu, grommela Robert.

— Et comment est-il ? demanda-t-elle. Est-il gentil ? Est-elle heureuse ?

— Elle est assez heureuse, je crois, dit-il.

Ses yeux, du bleu des bleuets, n'étaient pas plus expressifs que ses paroles.

Lucy se remit à manger, mais elle s'interrompit presque aussitôt, posa son couteau et sa fourchette.

— Robert, dit-elle, si jamais nous devons nous séparer un jour, toi et moi, tu peux parier tout ce que tu voudras que ce ne sera pas parce que tu m'auras dit un mot de trop !

— Mais que veux-tu que je te raconte ?

— Eh bien, pour commencer, tu pourrais m'en dire un peu plus sur ta famille. Ne peux-tu t'efforcer de me donner l'impression que j'en fais partie ? Je ne sais pas si tu t'en es aperçu, mais tu ne m'as présentée à personne ! Pourquoi ne me dis-tu pas ce que tu penses, ce que tu sais ? Essaie donc de... de communiquer avec moi, Robert !

Stupidement, ses yeux se remplissaient à présent de larmes.

— Tu pourrais me dire que tu m'aimes ! C'est par là que tu devrais commencer.

Il la regarda, les sourcils froncés.

— L'ennui, avec toi, c'est que tu es instruite, affirma-t-il d'un ton définitif. Tu as été élevée à la façon des gens instruits.

— D'après toi, dire aux gens qu'on les aime est le fait des gens instruits ? Je ne vois pas en quoi...

— Nos façons à nous sont différentes...

— Oui, je commence à m'en rendre compte.

— Alors, si tu t'en rends compte, pourquoi continues-tu, ici ?

— J'ai bien le droit de dire ce que je pense, tout de même !

Elle s'interrompit, désolée.

— Oh ! Robert, reprit-elle, est-ce une dispute que nous avons là ?

— Ça m'en a tout l'air, dit-il avec un sourire contraint.

Elle tendit la main et, après avoir hésité un moment, il la prit, et la serra très fort.

— Excuse-moi, Robert...

Il lui sourit.

— C'est bon, Lucy. Mais cesse de toujours vouloir que je te dise tout. Il n'y a que les *gavvers* qui soient comme ça, et les *gavvers*, ce sont des gens dont on se lasse très vite, comprends-tu ?

— Oui, dit-elle, je vois.

La longue période de beau temps parut enfin sur le point de s'achever. L'air lourd, immobile, sentait l'orage et l'arrière-saison. Un matin, pendant le ramassage, Jacob Lowe donna un coup de coude à sa nouvelle bru et lui chuchota qu'il avait cru comprendre qu'elle était instruite.

Lucy, résignée, acquiesça, et, se redressant, regarda la charrue, derrière le tracteur, ouvrir une nouvelle ligne de pommes de terre. Encore un jour, et le travail serait terminé.

— J'ai un truc pour gens instruits à vous montrer, annonça Jacob. Venez dans notre caravane au moment du casse-croûte.

Elle promit d'y aller. Elle s'apprêtait à se remettre au travail quand Jacob lui donna un nouveau coup de coude. Elle se retourna. Son beau-père la regardait ; il avait de petits yeux vifs, malins.

— Pas un mot à personne ! chuchota-t-il.

D'un signe de tête, il désignait le reste de la famille.

Ils se remirent au travail. Tout en avançant à

petits pas dans la terre bouleversée, Lucy méditait sur cet étrange amour du secret qui semblait caractériser sa nouvelle famille, et sur cette espèce de mélange de jalousie et de rancune que tous manifestaient à l'égard des gens « instruits », ceux qui savaient lire et écrire.

Ils interrompirent le travail à midi ; l'attention de la famille étant retenue par une des petites filles de Charles qui avait renversé une bouteille pleine de thé froid sur le bébé, Jacob fit signe à Lucy de le suivre dans le verger.

Devant la grande caravane centrale, le chien noir remua la queue, saluant ainsi son maître, puis fit entendre un grognement sourd quand il vit Lucy. Jacob et la jeune femme montèrent les marches et entrèrent. L'intérieur baignait dans une lumière gris-vert, à cause du feuillage des arbres qui entouraient la caravane, et pourtant d'innombrables petits éclats scintillants jaillissaient des ornements polis. Mal à l'aise, Lucy resta debout, à regarder autour d'elle, tandis que Jacob retirait un des coussins de la couchette et fouillait dans une cachette aménagée entre le plancher et la paroi. Il en retira une enveloppe froissée.

— Ça fait près de trois mois que j'ai cette lettre, confia-t-il à voix basse, en la tendant à Lucy.

Lucy regarda l'enveloppe et vit qu'au-dessous du nom tapé à la machine, l'adresse avait été biffée et remplacée par une autre quatre ou cinq fois.

— Cela fait trois mois que vous l'avez, dit-elle, et vous ne l'avez pas ouverte ?

— Elle a une allure qui ne me disait rien de bon, grommela-t-il, jetant un regard méfiant sur l'enveloppe.

— Mais ça pouvait être quelque chose d'important !

— Oui... Chaque fois que les *gavvers* viennent par ici, je me dis qu'ils savent à quoi s'en tenir sur le contenu de cette lettre, qu'ils me surveillent à cause de cela !

— Vous auriez dû demander à quelqu'un de vous lire cette lettre, monsieur Lowe !

— Comme je le dis toujours, répliqua Jacob, sombre, on ne peut faire confiance à personne !

— Mais vous me faites confiance, à moi ? demanda Lucy, regardant son beau-père avec un renouveau d'espoir.

— Ouvrez-la ! ordonna-t-il. Je m'attends au pire.

Lucy déchira l'enveloppe et déplia la lettre. A ce moment, le plancher de la caravane trembla. Isabelle Lowe entra à grands pas, majestueuse, terrible comme une nuée d'orage. Arrachant la lettre des mains de Lucy, elle l'agita sous le nez de son mari.

— Qu'est-ce que c'est que ça ? demanda-t-elle. Et que fait la *gorgia* ici ?

Jacob lui arracha à son tour la lettre tandis que Lucy, comme paralysée, s'accrochait à l'enveloppe à deux mains.

— Elle est venue ici parce que je lui ai demandé de venir, dit Jacob. Ne t'emballe pas !

Il rendit la lettre à Lucy.

— Je t'ai vu filer en catimini avec elle, bougonna Isabelle Lowe. Je voudrais bien savoir pourquoi.

Comme s'il s'agissait d'un jeu loufoque, elle arracha une nouvelle fois la lettre à Lucy qui, exaspérée, haussa les épaules et se résigna à s'en aller. Mais, comme elle arrivait à la porte, Jacob reprit possession de la lettre et, se précipitant derrière elle, la lui donna pour la troisième fois.

— Ne faites pas attention à la mère ! pria-t-il. Elle est comme ça... Allez-y, ma fille ! Lisez-nous ce papier !

— Et quand as-tu reçu cette lettre, je voudrais bien le savoir ? demanda Isabelle Lowe, reportant sa méfiance sur son mari.

— Il y a trois mois...

— Pourquoi n'as-tu rien dit ?

— Je n'aime pas les mauvaises nouvelles, énonça Jacob simplement.

— C'est une convocation ?

— Peut-être, ou peut-être pis...

— Et c'est à elle que tu la donnes !

— Je la lui donne parce qu'elle est instruite.

Isabelle Lowe pinça les lèvres comme si elle réprimait quantité d'autres arguments tandis que Jacob s'armait de courage, prêt à tout. Soudain, la tension fut brisée par le rire de Lucy.

— Ce n'est pas une convocation, annonça-t-elle. C'est un chèque de soixante-quinze livres ! Un virement postal pour bonification de services de guerre. Ça fait des mois et des mois qu'il vous court après !

— Des bonifications... Qu'est-ce que c'est que ça ?

Le visage de Jacob exprimait un mélange de méfiance et de crainte.

— D'après la lettre jointe, dit Lucy, parcourant rapidement l'imprimé, c'est une histoire de dégrèvement temporaire de l'impôt sur le revenu pendant la guerre... Vous avez fait la guerre, monsieur Lowe ?

— Moi ? dit Jacob, qui n'y comprenait rien. Non, je ne me suis jamais battu avec personne...

— Non, mais tu as été mobilisé, dit sa femme. On t'a mis dans une usine, à fabriquer tous ces petits trucs à roulement à billes. Tu disais...

— Et ils me donnent de l'argent pour ça ? dit Jacob. Après tout ce temps ?

Il prit la lettre des mains de Lucy et la regarda, les sourcils froncés, comme essayant par la simple force de son regard d'arracher un sens aux lignes tapées à la machine.

— Je ne m'y connais pas beaucoup en impôt sur le revenu dit Lucy, mais ça me paraît assez clair. Et, de toute façon, l'argent est là pour le prouver.

Elle montrait le bout de papier rose joint à la lettre.

— Ce n'est pas de l'argent, ça, dit Isabelle Lowe froidement. C'est un formulaire !

— Quelquefois, l'argent arrive sous cette forme, répliqua Lucy, essayant de réprimer son envie de rire. Regardez, voici les chiffres : soixante-quinze livres et quinze pence.

— Soixante-quinze livres et quinze pence pour quelque chose que j'ai fait il y a trente ans ? s'écria Jacob, ahuri.

Ses petits yeux se mouillèrent.

— Prends-les vite et ne pose pas de questions ! conseilla Isabelle Lowe. Autrement, ils changeront peut-être d'avis et ils reprendont l'argent.

Lucy, souriante, rendit la lettre et le chèque à son beau-père. Maintenant qu'il avait le papier en main, il semblait commencer à croire à sa réalité.

— Soixante-quinze livres ! répéta-t-il révérencieusement. Depuis trois mois j'avais soixante-quinze livres chez moi et je n'en savais rien !

— Félicitations ! dit Lucy, qui se disposa de nouveau à partir.

Elle avait faim, et la pause du déjeuner serait terminée avant longtemps ; mais Jacob lui posa sa main brune et calleuse sur le bras.

— Qui plus est, poursuivit-il, je n'en aurais probablement rien su du tout si nous n'avions pas eu une personne instruite dans la famille.

Son ton plein de cordialité la toucha profondément. Elle se retourna pour le regarder et vit pour la première fois dans ses petits yeux foncés une lueur nettement favorable.

— Merci, dit-elle.

Puis, cédant à une brusque impulsion, elle se pencha vers lui et lui posa un baiser léger sur la joue.

— Soixante-quinze livres ! répéta Jacob. Je crois que vous allez nous porter chance, ma petite. Qu'en dis-tu, maman ?

— Pour ça, j'attends de voir !

Isabelle Lowe prit soin d'attendre que Lucy fût sortie de la caravane pour reprendre de nouveau la lettre à son mari. Cette fois, elle la cacha dans son corset.

CHAPITRE VI

La nouvelle se répandit vite, la curiosité familiale ayant été excitée par l'absence simultanée de Lucy et du ménage Lowe, puis par la jubilation que Jacob, dont le visage était habituellement inexpressif, ne sut pas dissimuler.

— J'ai eu un coup de chance, confia-t-il à l'oncle Joseph. Et tout ça à cause de la petite, là-bas !

Progressant parallèlement à Joseph dans les sillons du champ de pommes de terre, il lui parla de l'enveloppe. Joseph, émerveillé, se demandait comment Jacob avait pu fermer l'œil, pendant ces trois mois, avec une chose si importante cachée sous sa couchette.

— La lettre serait toujours sous ma couchette, sans la *gorgia* ! dit Jacob.

— Elle est bien, alors, cette fille-là ? dit Joseph après avoir travaillé en silence un moment.

— Sûr qu'elle fera l'affaire ! déclara Jacob.

La famille Lowe travailla longuement et durement ce jour-là.

Le ramassage fut terminé le lendemain, dans l'après-midi, vers 15 h 30. Ils avaient tous suivi des yeux, un peu plus tôt, la vieille voiture du fermier qui disparaissait, cahotant sur les ornières du chemin, en direction de Harford et de la banque. Maintenant que les dernières caisses avaient été ramassées par le tracteur et la remorque, tout le monde se rassemblait du côté de la grange où le fermier distribuait la paie.

Le cultivateur était assis devant une vieille table de cuisine. Sa femme, à côté de lui, cochait le compte de chacun dans un registre sale. Lucy regardait les mains terreuses se tendre, avides, maigres, brunes, comme des serres d'oiseau, vers l'argent. Les Lowe avaient bien travaillé, remplissant jusqu'à dix-sept caisses par jour ; et, à cinquante pence la caisse, cela faisait un joli paquet pour chacun. Isabelle Lowe, impassible, surveillait la scène. Chacun des membres de la famille rangeait le fruit de son travail dans sa poche ou dans une bourse — il y en avait de toutes sortes et le cousin Denis se servait d'une vieille blague à tabac.

Robert ramena Lucy au verger, le bras passé autour de la taille de la jeune femme. Il lui expliqua qu'après la récolte des pommes de terre, ils faisaient généralement un petit *keelie*, pour célébrer la chose.

— Un *keelie* ? Qu'est-ce que c'est ?

Il sourit.

— Tu le verras ! Pour commencer, on ira faire des courses, dit-il.

Un quart d'heure plus tard, Lucy se retrouva près du vieux pick-up de Charles, assise à même le plancher, dans une position peu confortable, avec les deux fillettes, la tante Emma, Madeleine et le bébé. Isabelle Lowe trônait, devant, à côté de Charles.

La lumière tamisée du soleil filtra au travers des lourdes nuées d'orage quand ils arrivèrent à Harford. En descendant à pied la grand-rue, Lucy se rendit compte du spectacle assez extraordinaire que leur bande devait offrir Elle n'avait pas eu le temps de se laver ou de se changer, et ses vêtements froissés et boueux ne permettaient pas de la différencier des autres Gitanes. A l'exception de Madeleine, aucune des femmes ne lui parlait.

Isabelle, ouvrant la marche, entra la première dans le supermarché. Les achats furent faits rondement : de la poitrine d'agneau, des saucisses, du bacon, des légumes, des fruits, des paquets de bonbons pour les enfants. La tante Emma — qui portait une casquette d'homme — acheta une énorme tranche de cake aux fruits confits pour l'oncle Joseph. Madeleine donna son bébé à porter à Lucy pendant qu'elle choisissait des jeans neufs pour ses fillettes.

Puis ils se retrouvèrent tous au milk-bar, un peu plus loin, dans la même rue, où ils commandèrent des tasses de thé. Lucy remarqua que l'atmosphère de l'établissement était devenue glaciale quand leur bande était entrée, et que la blonde assez voyante, derrière le comptoir, les servait tous avec une sorte de mépris dégoûté ; mépris qui, pourtant, n'était pas comparable à l'expression de dédain patricien dont était empreint le visage buriné et tanné d'Isabelle.

En retournant au parking, Lucy croisa une amie de sa mère, très digne dans son tailleur de flanelle gris, qui la regarda fixement, sans la reconnaître.

« Il en sera toujours ainsi ! » pensa-t-elle, amusée. Elle n'était plus la jeune fille semblable aux autres, douillettement logée dans une confortable maison d'un petit village et, pourtant, du point de vue des Gitans, elle n'était pas non plus des leurs. Elle commençait à se demander si elle trouverait jamais sa véritable place.

Dans le soir qui tombait, les préparatifs du *keelie* furent activement menés. Un feu avait été allumé à quelque distance des arbres. Des poitrines d'agneau bardées de saucisses et de tranches de bacon, empalées sur des brochettes de bois, rôtissaient dans un nuage de fumée, tandis que les pommes de terre, ramassées le jour même, cuisaient sous les cendres chaudes. Des bottes de paille provenant de la ferme avaient été disposées en cercle et des bouteilles de bière, comme un jeu de quilles, attendaient à côté, toutes prêtes.

— Oui, fais-toi belle, conseilla Robert, comme Lucy se séchait les cheveux en les frictionnant avec une serviette.

Il s'approcha d'elle et mordilla son épaule,

savourant l'odeur fraîche de savon et de talc. Puis il cessa son jeu et tint sa femme à bout de bras.

— Jusqu'à tes ongles de pied qui reluisent, dit-il, la toisant d'un regard admiratif. C'est drôle comme ils brillent !

— Je vais te dire quelque chose, fit-elle, en confidence. C'est parce qu'ils sont en plastique.

— Continue...

Il prit un air ébahi. Elle lui passa les bras autour du cou et lui assura que toutes les *gorgias* avaient des ongles de pied en plastique. Ils riaient comme deux enfants et s'embrassaient. Puis, quand elle eut fini de se sécher les cheveux, il les lui brossa à grands coups réguliers qui les firent luire comme une chape de satin.

— Malheureusement, les ongles de mes mains sont dans un état pitoyable ! soupira-t-elle. Regarde, ils sont tous cassés !

— De vrais ongles de fille du voyage, dit-il, examinant ses mains. Ce ne sont plus des ongles de *gorgia*, pas vrai ?

— Tu aurais voulu qu'ils le restent ?

C'était soudain très important de savoir s'il la voyait comme une *gorgia* ou comme une fille du voyage, plus important encore de savoir ce qu'il désirait qu'elle fût.

— Voulu ? répéta-t-il, essayant vainement de la comprendre. Mais ça ne veut rien dire. Et puis, ça n'a pas d'importance. Tu es ma femme, simplement, n'est-ce pas ?

— Oui, dit-elle, tu as raison. C'est la seule chose qui ait de l'importance.

La lune se dégagea des nuages épais et posa son croissant argenté au-dessus des flammes orangées qui jaillissaient du grand feu de camp.

Les poitrines d'agneau étaient cuites. Chacun mangea sa part directement sur les brochettes, comme des sucettes géantes. La viande craquait sous la dent, savoureuse, avec un fumet de lard, de saucisses et de feu de bois. Les pommes de terre étaient cuites, elles aussi, et elles sentaient encore la fraîcheur de la terre d'où elles venaient à peine d'être tirées. Les hommes buvaient leur bière à la bouteille, renversant la tête en arrière et fermant les yeux avec une expression de béatitude.

— Rien de tel que de faire la cuisine en plein air, remarqua l'oncle Joseph.

Assis à côté de Lucy, il semblait pleinement heureux.

— Quand j'étais enfant, raconta-t-il, nous habitions dans une de ces vieilles roulottes tirées par des chevaux, des *vardas*, comme on les appelait. Tous les soirs, notre vieille maman faisait un feu dehors, là où nous étions campés, et elle préparait un bon ragoût dans la marmite. Dans ce temps-là, nous mangions beaucoup de viande : des lapins, des lièvres et des belettes, aussi ; ça fait un bon plat quand on sait bien les préparer. Tout cuisait dans la même vieille marmite de fer, toute noire. Tout mélangé : viandes, patates, oignons. Et ça avait rudement bon goût, je peux vous l'assurer !

— Oui, reconnut-elle, cela devait être très bon !

— Maintenant, tout ça est changé, sauf quand on fait un *keelie*, comme ce soir. De nos jours, il n'y a plus que des trucs tout préparés dans des sachets.

— C'est plus propre, et ça fait sans doute gagner du temps, répliqua Lucy, mordant dans une pomme de terre.

— Gagner du temps ? grommela l'oncle Joseph. Croyez-moi, ma fille, quand on a fini d'ouvrir ces sacrés petits sachets, on aurait eu le temps d'allumer un bon feu et de faire cuire deux ou trois hérissons...

Il mastiqua pensivement un morceau de poitrine d'agneau et reprit :

— C'est ça qui vous manque, à vous, les jeunes d'aujourd'hui. Vous n'avez pas de tripes, à cause de ce que vous mangez !

— Vous croyez que Robert n'en a pas ? protesta-t-elle, sur la défensive.

Et elle ajouta :

— Et Charles ?

— Charles ne sait plus rien des façons de l'ancien temps, maugréa l'oncle Joseph. Et Robert, lui...

Le cœur gros, Lucy termina, pour lui :

— Oui, Robert a épousé une *gorgia*.

Il ne chercha pas à nier que c'était bien ce qu'il avait voulu dire ; pourtant, le regard qu'il lui jeta n'avait rien d'inamical. Il est vrai qu'aucun des membres de la famille n'avait jamais eu un seul geste inamical pour Lucy, à l'exception de la mère de Robert. Leur attitude envers l'épouse de Robert semblait dictée par une pure indifférence.

Impulsivement, elle se leva de sa botte de paille et, traversant un nuage de fumée brusquement rabattu par le vent, se dirigea vers l'endroit où était assise Madeleine, pittoresque avec ses grands anneaux aux oreilles et son corsage décolleté. Elle buvait de grandes gorgées de bière dans une cruche, et son bébé, flasque comme un petit chaton, dormait sur ses genoux.

— J'ai tellement bu que je vais éclater ! s'écria-t-elle, épanouie. Et la petite aussi.

— Est-ce qu'elle ne devrait pas être au lit ?

— Peut-être bien. J'irai la coucher quand j'aurai la force de me lever.

— Si vous voulez, risqua Lucy, je peux la mettre au lit ?

— Merci, mon chou, dit Madeleine, dont le sourire radieux devait bien quelque chose à la bière qu'elle avait bue. Elle a son petit lit par terre à côté de la table. Elle ne se réveillera pas avant demain matin.

Délicatement, Lucy prit la petite fille et resta immobile à la serrer contre elle, savourant la douceur de cette chair chaude et fragile, appuyant sa joue contre le petit crâne duveteux. Les lumières du feu dansaient sur les minuscules boucles d'or qui ornaient les oreilles du bébé.

— Vous ne mavez jamais dit son nom ? chuchota-t-elle à Madeleine, qui avait levé les yeux vers elle.

— Celle-là, nous l'avons appelée Rosine, à cause de la sœur de Charles, Rose.

— Rose ! répéta Lucy. Ah ! oui !

Elle resta là encore un moment, berçant l'enfant, puis s'en alla à pas lents, sortant du cercle de lumière et se dirigeant vers l'endroit où les caravanes étaient groupées. A l'intérieur de celle qui appartenait à Madeleine et à Charles, une lumière discrète était allumée. Lucy se raidit quand elle vit Isabelle Lowe, splendide avec ses faux brillants et ses paillettes, assise sur l'une des couchettes.

— Je suis venue mettre Rosine au lit, dit-elle, sur la défensive. Maddy a eu une rude journée...

— Venez ici, dit doucement Isabelle, tapotant du plat de la main la couchette, à côté d'elle.

Un peu malgré elle, Lucy s'assit. Elles restèrent toutes deux silencieuses un moment, contemplant la petite fille endormie bercée sur les genoux de Lucy.

— Vous l'aimez bien, n'est-ce pas ? demanda enfin Isabelle.

— Comment ne l'aimerait-on pas ?

Les paupières closes du bébé frémirent légèrement, comme si des scènes étranges se déroulaient derrière elles.

— Peut-être que vous en aurez vous-même avant longtemps.

— Peut-être, murmura Lucy prudemment.

— Et qu'est-ce que ce sera, eh ? Un *gorgio* ou un Gitan ?

— Faut-il nécessairement qu'il soit l'un ou l'autre ? Ne pourra-t-il pas être simplement notre fils ou notre fille ?

Isabelle sembla réfléchir profondément, puis soupira.

— Tout a changé, déclara-t-elle. On ne sait plus vivre et les principes se perdent. C'est grand dommage.

— Sans doute, convint Lucy, réservée et cérémonieuse.

Dehors, le *keelie* devenait de plus en plus bruyant. Les rires et les chants redoublaient. Mais l'intérieur de la caravane semblait une oasis de paix. Sur l'autre couchette, une des fillettes marmonna dans son sommeil puis se tut.

— Je suppose que vous n'êtes pas une mauvaise fille, dit Isabelle. En tout cas, vous nous avez porté chance, avec cette lettre.

— Le chèque pour les services de guerre de monsieur Lowe ? Je n'ai fait que lui lire cette lettre.

— Peut-être..., mais ç'aurait pu être une convocation, n'est-ce pas ?

Lucy s'interrompit. Elle préférait ne pas se laisser entraîner dans les voies tortueuses et incompréhensibles de la logique très spéciale d'Isabelle Lowe.

Elle se contenta de répondre par un sourire à sa belle-mère, puis alla déposer l'enfant endormi dans le berceau minable. Agenouillée, elle borda la petite fille puis s'attarda un moment pour s'assurer qu'elle ne se réveillerait pas.

Lucy se dirigea vers la porte et se rendit compte qu'Isabelle l'avait suivie seulement lorsqu'elle se sentit touchée à l'épaule. Elle se retourna en sursaut, vit la main tendue.

Lentement, elle prit la main, consciente de la force étonnante qui se cachait sous la peau calleuse.

— Allez en paix, maintenant ! dit Isabelle Lowe.

Au fond du verger, on avait réalimenté le feu de joie dont les hautes flammes semblaient lécher le ciel même.

Dans la lumière livide et vacillante, Madeleine, debout, les bras noués autour du cou de Charles, frappait de ses pieds nus la terre tout en chantant. De l'autre côté du feu, le cousin Denis, sans se laisser troubler, jouait un air absolument différent sur son harmonica, le chapeau rabattu sur les yeux, à côté d'un tas d'enfants endormis. La tante Emma fumait une pipe en terre et sermonnait l'oncle Joseph, qui semblait un peu ivre. Quant à Robert... Lucy regarda autour d'elle, le cherchant des yeux. Soudain, il apparut, venant vers elle.

Elle courut à lui, les bras grands ouverts. Elle riait, très heureuse.

— Devine ! dit-elle en embrassant son mari. Ta mère et moi nous avons bavardé. Elle a dit que je n'étais pas méchante et que je vous avais porté chance à tous...

Elle l'embrassa de nouveau. La bouche de

Robert sentait la bière et la fumée du feu de bois.

— Voilà qui est bien !

— Robert, elle m'a tendu la main et elle m'a dit d'aller en paix. Qu'a-t-elle voulu dire ?

— Je ne sais pas trop, Lucy. Je pense que cette expression lui est venue comme ça...

Mais, naturellement, il savait fort bien ce que cela voulait dire. Entraînant brusquement Lucy dans une danse sauvage, il avait l'impression d'être enfin soulagé de la plus terrible des contraintes : en effet, ces mots étaient ceux dont on se servait pour révoquer solennellement une malédiction.

Ils dansèrent et dansèrent. On eût dit que la famille avait deviné, on ne savait comment, ce qui s'était passé entre Lucy et Isabelle. Les visages hâlés n'étaient plus impassibles, comme couverts d'un masque ; on souriait, on échangeait des clins d'œil, et le cousin Denis, abandonnant son harmonica, donna le signal des claquements de mains pour rythmer leurs pas joyeux, frénétiques.

La malédiction, quelle qu'eût pu être sa signification, était levée et, par des voies mystérieuses, le *keelie* était devenu la célébration tribale du mariage de Robert et de Lucy.

Le feu était mort. De lointains roulements annonçaient l'orage. Lucy souhaita bonne nuit aux autres et retourna à la caravane.

Robert s'y trouvait déjà. Il se tourna vers elle,

essayant maladroitement de dissimuler les objets qui brillaient sur la couchette.

— Rose et Numa sont revenus, dit-il.

Elle le regarda sans mot dire, puis ses yeux s'abaissèrent sur la couchette.

— Qu'est-ce que tout ça ?

Il ne répondit pas. C'eût été d'ailleurs parfaitement inutile : Lucy avait tout de suite compris que ces objets épars constituaient l'argenterie volée dans l'église de Great Wetherly.

Lucy estimait que son mari n'avait pas à courir de risques à cause du méfait de son beau-frère.

— Je ne le dénoncerai pas ! dit Robert. On ne fait pas ça à quelqu'un de sa famille !

— Numa n'est pas réellement quelqu'un de ta famille !

— Voyons, Lucy, il a épousé ma sœur ! Et il ne me dénoncerait pas non plus...

— Mais tu ne volerais pas, toi, n'est-ce pas ?

— Non ! Moi, je ne volerai jamais !

— Alors, pourquoi...

— Ecoute, Lucy, ne t'occupe pas de ça ! Pour l'amour de Dieu, laisse-moi tranquille avec cette histoire !

Ils discutaient depuis un certain temps quand l'orage éclata. Un déluge se déversa sur la région. Le bruit de l'eau qui tambourinait sur le toit de la caravane était assourdissant. Fouettés furieusement par le vent, les vieux arbres fruitiers du verger gémissaient et craquaient. Zip, le petit chien, frissonnait dans son sommeil et se pelotonnait contre Lucy.

L'argenterie volée dans l'église de Great Wetherly — un gobelet finement ciselé et deux plateaux du XVIIIe siècle — était restée sur la table, dans un sac en papier.

— Sans parler de sa malhonnêteté, il faut que Numa soit un véritable imbécile pour voler de tels objets ! s'écria Lucy. Ils sont si facilement reconnaissables !

— Je t'ai dit de ne pas t'en mêler !

— Bon, bon, si tu veux ! Mais fais-moi au moins connaître tes intentions !

— Je ferai ce que Numa m'a demandé. Je cacherai tout ça pour lui.

— Mais où ?

— Ne te fais pas de souci !

— Mais si, je m'en fais !

Un coup de tonnerre ébranla la caravane. La lampe vacilla. Sans se lever, Robert tendit le bras et éteignit.

— Il vaut mieux dormir, Lucy. Nous partirons à la première heure, demain.

Etendue à côté de Robert dans l'obscurité, Lucy demanda :

— Numa et Rose viendront-ils avec nous ?

Robert feignit de dormir pour ne pas avoir à répondre.

Lucy reprit :

— Non, bien sûr ! Ils se tiendront prudemment à l'écart de ceux qu'ils auront mis dans une mauvaise situation en leur confiant le produit de leur vol...

Lucy haïssait déjà Numa, Numa et Rose, cette Rose qui, quand elle l'avait connue, n'était qu'une fillette maigrichonne marquée de taches de rousseur.

CHAPITRE VII

L'orage s'était calmé, la pluie avait cessé vers le milieu de la nuit.

Dès le petit matin, dans le verger à l'herbe trempée, aux arbres dont les branches pleuraient, on entendit ronronner des moteurs qui tournaient au ralenti. Une animation discrète régnait autour des caravanes. Les Lowe s'apprêtaient à reprendre la route.

On arrachait les pieux auxquels les bêtes avaient été attachées ; les femmes arrimaient la faïence et les objets fragiles ; les hommes chargeaient bicyclettes et voitures d'enfant dans les camions et les camionnettes. Tout cela dans une belle boue.

Lucy, qui regardait le spectacle de la fenêtre de sa caravane, se sentait triste. En même temps qu'il avait définitivement balayé l'été, l'orage avait-il ébranlé sa sécurité et celle de Robert, voire dissous leur bonheur ?

— Où allons-nous, Robert ? demanda-t-elle.

— Du côté de Matherton, indiqua Robert.

Charles dit qu'on a besoin là-bas de manœuvres...

— Il y va, lui ?

— C'est son affaire ! répliqua sèchement Robert.

Une fois encore, Lucy se heurtait au mur de l'incompréhension. Cependant, le goût du silence et du secret était chez les Gitans moins un parti pris qu'une manifestation de méfiance envers tout ce qui pourrait les compromettre ou compromettre un tiers.

Autre fait caractéristique : l'argenterie volée avait été cachée pendant la nuit. Quand Robert avait éteint, la veille, le gobelet et les plateaux se trouvaient sur la table, dans un sac en papier. Robert avait profité du sommeil de Lucy pour dissimuler ces objets encombrants quelque part dans la caravane.

Les véhicules s'ébranlèrent vers 9 heures. Camions, camionnettes et caravanes remontèrent le chemin étroit à la queue leu leu, puis chacun partit de son côté. Pendant un moment, Robert avait roulé derrière la grosse caravane crème de ses parents mais, à un moment, celle-ci avait emprunté une route qui allait vers la côte et Lucy et Robert avaient poursuivi leur chemin en direction de Matherton.

Ils furent seuls sur la route et, brusquement, Lucy se sentit heureuse de retrouver leur « solitude à deux ».

Le chantier de construction était situé en bordure d'une route secondaire. Un promoteur avait entrepris de construire là un petit lotissement sur deux champs de mauvaise terre plus ou moins abandonnés. Comme le verger lorsqu'ils l'avaient quitté, le chantier était une mer de boue.

Robert laissa Lucy dans la camionnette et se dirigea vers la baraque du conducteur de travaux, à pas prudents.

— Ça a marché ? demanda-t-elle, quand il revint.

— Il m'a embauché pour faire le mousse.

— De quoi s'agit-il ? sécria Lucy, interloquée.

Elle avait dépassé le stade où une sorte de respect humain la retenait de poser des questions qui devaient paraître sottes, pensait-elle, à quelqu'un ayant toujours mené cette vie.

— De porter les briques et les auges pour les maçons. J'ai déjà fait ça.

Comme il remontait dans la camionnette, un grand gaillard coiffé d'un bizarre petit chapeau de tweed s'approcha d'eux et passa la tête par la portière. Son regard tomba immédiatement sur Lucy, assise à côté de Robert avec Zip sur les genoux.

— Salut, patronne ! Vous avez trouvé un emplacement pour votre caravane ?

Elle fit non de la tête et regarda Robert. L'homme leur indiqua comment quitter la route et leur dit de se garer sur un terrain où quelques rares chardons se flétrissaient dans une mare de boue glaiseuse et jaunâtre. Tout, autour d'eux, était mouillé et triste. Lucy se promit, dès la première occasion, d'acheter une paire de bottes en caoutchouc.

Ils installèrent la caravane, dételèrent la camionnette. Puis Lucy déballa les ustensiles de première nécessité et prépara un repas sommaire, composé d'œufs et de chips. La vapeur chaude se condensait et ruisselait sur les fenêtres, voilant le triste décor.

— On sera bien, ici, pas vrai ? murmura-t-elle, souriant courageusement.

— Pour sûr ! répondit Robert.

Mais Lucy fut assez surprise de le voir repousser immédiatement son assiette vide et se lever. Il annonça qu'il partait au travail.

— Quoi, tout de suite ? Tu commences cet après-midi ?

— Pourquoi pas ?

C'était à son tour d'être ébahi de la question de Lucy. Celle-ci eut l'impression de buter de nouveau sur une autre de ces nuances étranges, subtiles, qui les différenciaient. Elle venait d'un monde dans lequel, quand une jeune femme entrait dans une nouvelle place, elle partait pour le bureau, coquettement mise, et nerveuse, un lundi matin, pour 9 heures. Robert, lui, descendait d'une longue lignée de travailleurs occasionnels payés à l'heure ou à la tâche pour laquelle le hasard les faisait embaucher. En le regardant retirer ses souliers pour chausser de gros brodequins de terrassier, elle prit conscience de la fragilité de cette vie instable et du caractère assez effrayant de ce qu'on appelle trop vite liberté...

De la porte, elle suivit des yeux Robert qui se dirigeait vers le chantier, naviguant prudemment dans la boue. Puis, la haie le lui cacha.

Songeuse, Lucy fit sa toilette puis entreprit un grand nettoyage de la caravane. Elle balaya, lava le plancher, nettoya les vitres. Elle acheva ensuite de déballer ses affaires et celles de son mari — et resta songeuse en tombant sur l'argenterie dérobée qui avait été enveloppée dans une vieille chemise et cachée au fond d'un placard. Elle resta longtemps assise, à méditer devant les objets qu'elle avait posés sur la table, avant de les remettre là où elle les avait trouvés.

Elle changea de robe et se recoiffa, se rassit et regarda, satisfaite, son foyer bien propre et ordonné. Elle se demandait ce qu'elle pourrait bien faire pour y ajouter une dernière touche. Mais elle ne trouva rien... Tout, dans la petite caravane, occupait un endroit déterminé et il n'était guère possible de mettre de la fantaisie dans ce local étroit où chaque objet avait une place immuable.

Saisie d'une brusque impatience, elle décida d'emmener Zip en promenade. Le chien partit joyeusement devant elle, l'entraînant au bout de sa laisse rouge ; il la conduisit sur la route campagnarde déserte où des mûres tardives luisaient dans les haies, et à travers des champs dont la terre mouillée exhalait le parfum lourd et mélancolique de l'automne. Ils allèrent ainsi jusqu'à la hauteur d'une ferme isolée, puis s'en retournèrent à la caravane. Lucy prit soin d'essuyer les pattes boueuses du chien et de retirer elle-même ses chaussures avant d'entrer.

Elle se prépara une tasse de thé, sortit quelques biscuits, remplit le pot à lait et le sucrier et disposa le tout sur un plateau de plastique.

De toute sa vie, elle ne s'était jamais sentie si seule, si désespérément seule !

La caravane était tellement petite ! Une petite boîte perdue entre ciel et terre, entre un ciel morne et une terre boueuse, un cube de silence.

Elle but son thé à petites gorgées, en pensant au ramassage des pommes de terre et à la période que Robert et elle avaient passée dans le verger, avec tous les autres Lowe garés autour d'eux en cercle protecteur. Elle s'aperçut qu'ils lui manquaient, tous, avec leurs oripeaux, leur animation, leur gaieté, leurs moments d'indolence étrange, de nonchalance gracieuse.

Elle tressaillit en entendant frapper à la porte. Elle fit taire Zip, qui s'était mis aussitôt à aboyer, ouvrit et se trouva en face de l'homme au chapeau de tweed. Il lui tendit un sac à provisions.

— Je vous ai apporté des prunes, dit-il. Nous avons dû abattre un prunier, pour le chantier. Ce serait dommage de les laisser perdre.

Elle prit le sac, contente et touchée qu'il eût pensé à cette petite attention.

— Merci beaucoup, monsieur...

— Blandford, déclara-t-il, se présentant.

Comme il ne faisait pas mine de vouloir s'en aller, elle baissa les yeux vers l'ouverture du sac.

— Je les ferai cuire pour le dîner ! Ce sera sûrement très bon.

— Avez-vous tout ce qu'il vous faut, madame ? Vous savez où prendre de l'eau... et tout ?

— Oui, merci.

C'était un homme grand, au teint « brique », au visage réjoui, qui n'était déjà plus de la première jeunesse.

— Vous êtes le chef de chantier ? demanda-t-elle, pour dire quelque chose. (Puis elle ajouta, timidement :) Je venais juste de préparer une tasse de thé. Si vous voulez...

— Très volontiers, merci !

L'homme monta les marches. Elle s'effaça pour le laisser entrer.

Il semblait encore plus grand à l'intérieur de la petite caravane. Elle l'invita à s'asseoir sur la couchette. Il retira son chapeau de tweed et s'installa. Elle sortit une autre tasse, la remplit et ajouta quelques biscuits dans l'assiette. L'homme jetait autour de lui un regard appréciateur.

— C'est rudement bien « briqué », chez vous ! Non, rien qu'un sucre et pas de biscuit, merci, mon petit.

Elle s'assit en face de lui et reprit sa tasse. Elle l'observait avec une certaine réserve.

— Depuis combien de temps vivez-vous comme ça ? demanda-t-il soudain. Vous n'êtes pas une Gitane, vous, n'est-ce pas ?

Saisie, Lucy voulut protester contre cette remarque qui lui paraissait déplacée ; mais elle se tut en le voyant sourire gentiment.

— Ça fait des années que je connais les Lowe, dit-il. Le vieux Jacob et son père venaient scier le bois, chez nous, enfin, chez ma grand-mère. Elle est morte, Dieu ait son âme ! Et je me souviens d'un frère du vieux Lowe qui était marchand de chevaux. Il n'y a plus beaucoup de Gitans marchands de chevaux, pas vrai ? Il les aidait et il s'est pris le pied dans la scie à chaîne. Le médecin est venu et l'a recousu sur la table de la cuisine. Du beau travail ! Vous n'avez pas connu ce temps-là, bien sûr. Ah ! c'était un dur à cuire !

— Continuez ! sécria Lucy. Racontez-moi comment c'était, dans le temps.

Mais le charme semblait rompu. Le visiteur but une dernière gorgée, vida sa tasse et la reposa d'un geste décidé.

— Mais vous ne m'avez toujours pas répondu ! Que faites-vous... avec les Lowe ?

— J'ai épousé Robert.

— Vous n'êtes pas une Gitane, n'est-ce pas ?

— Non, fit-elle sèchement. Pourquoi ?

Elle fut assez surprise de le voir prendre immédiatement un air contrit. Il pétrissait son chapeau entre ses mains.

— Excusez-moi, mon petit, grommela-t-il. Ça ne me regarde pas, bien sûr. C'est simplement que ça m'intéresse, c'est tout.

— Il n'y a aucun mystère dans mon histoire, reprit-elle, radoucie. J'ai fait la connaissance de

Robert quand nous étions enfants. Nous allions ensemble à l'école, à Hardford. Puis nous nous sommes retrouvés, après être restés des années sans nous voir. Et... nous sommes tombés amoureux. Voilà pourquoi je suis ici. C'est tout.

— Oui, voilà..., répéta-t-il, songeur. Et qu'est-ce que vous faites, toute seule là-dedans, toute la journée ?

Elle suivit le regard qu'il promenait autour de lui sur la petite caravane bien rangée. Elle se rappela cette impression de solitude qui était tombée sur elle, un moment plus tôt, comme une chape pesante.

— Rien. Voyez-vous, je me suis beaucoup démenée pendant la récolte des pommes de terre et je me figurais que je serais contente de pouvoir me reposer un peu, mais...

— L'hiver va venir, déclara-t-il. Vous finirez vite par vous fatiguer de cette caravane !

— Peut-être pourrais-je essayer d'aider Robert à porter des briques ? dit-elle avec un sourire un peu forcé.

— Est-ce que vous savez taper à la machine ? demanda-t-il brusquement. Ça nous rendrait service au bureau, d'avoir quelqu'un pour s'occuper du courrier et pour répondre au téléphone.

Le visage de Lucy s'éclaira.

— Quand pourrais-je commencer ?

— Dès que vous le voudrez.

— Quels seraient les horaires ?

— Ce qui vous conviendrait, mon petit. Vous

seriez libre de partir quand vous voudriez pour préparer les repas du jeune Robert.

— C'est d'accord ! conclut-elle, ravie.

Puis, se ravisant, elle ajouta :

— Mais le patron..., ne croyez-vous pas qu'il vaudrait mieux que je le voie ?

— Vous le voyez, répliqua simplement l'homme.

Le bureau du chantier n'était qu'une petite baraque préfabriquée montée dans une infâme gadoue. Mais on s'était mis en frais pour l'arrivée de Lucy : on avait balayé, épousseté, mis de l'ordre dans les papiers, nettoyé la machine à écrire, posé un bloc neuf à côté du téléphone ; au dernier moment, on avait eu la bonne idée de remplacer, au mur, le calendrier décoré de femmes nues par un autre, plus discret, orné de vues de châteaux.

— Ce n'est pas un palais ! dit John Blandford quand Lucy arriva, après avoir pataugé dans la boue qui séparait la caravane de la baraque. Mettez-vous à l'aise, mon petit. Voici le téléphone, et vous avez là le courrier que je voudrais que vous tapiez. J'espère que vous pourrez lire mon écriture ?

Elle répondit en souriant qu'elle n'aurait pas de difficulté et se mit au travail. Elle avait beau se sentir fière d'appartenir à la famille Lowe, c'était quand même bon de se retrouver au travail, de se remettre aux tâches familières, d'être assise devant un bureau avec des papiers proprement rangés devant elle et une machine dont le clavier cliquetait gaiement sous ses doigts.

Cependant Robert fut loin de se montrer aussi satisfait.

— Pourquoi veux-tu travailler ? demanda-t-il. Tu n'en as pas besoin.

— Mais, Robert, répliqua-t-elle, stupéfaite, ce n'est pas seulement pour l'argent que mon travail nous rapportera ! C'est surtout... parce que cela m'occupera...

— Tu as suffisamment à faire ici.

Elle jeta un regard circulaire sur la caravane parfaitement rangée et propre.

— Quoi, par exemple ? demanda-t-elle.

— Eh bien, tu dois avoir tout préparé... chaque fois que je rentre !

— Je me suis arrangée avec monsieur Blandford pour quitter mon travail suffisamment tôt !

Déçue par la réaction de Robert, Lucy se montrait susceptible.

— D'ailleurs, ajouta-t-elle, tu te moquais pas mal que je tienne moins bien la maison quand nous ramassions les pommes de terre, n'est-ce pas ?

— Ça n'était pas la même chose.

— En quoi ?

Elle ne lui donna pas le temps de trouver une réponse et, laissant échapper un petit rire de gorge, elle lui lança :

— Robert, tu es jaloux !

— Bien sûr que non. Je ne suis pas jaloux... De quoi pourrais-je être jaloux ?

Elle le regarda fixement, sans ciller.

— De rien du tout.

— Eh bien, alors...

— Eh bien quoi ? répéta-t-elle, irritée par le tour qu'avait pris la discussion.

— Je n'aime pas ça, c'est tout ! dit-il sèchement. Un tel travail n'est pas pour des gens comme nous.

Ils en restèrent là.

Les deux jours suivants, Lucy assura normalement son service tandis que Robert travaillait à un jet de pierre, montant des chargements de briques sur les échafaudages où les maçons sifflaient et accompagnaient de leur chant le son nasillard des transistors. Ils étaient très près l'un de l'autre et, pourtant, dans un certain sens, très éloignés.

Le troisième jour, Robert demanda à Lucy d'aller à Harford : il voulait avoir du poisson pour le dîner.

— Je comptais faire du macaroni au gratin.

— J'ai envie de poisson ! Des harengs ou un autre poisson qui ait un peu de goût.

— Mais, je travaille...

— Je passe tout de même avant ton travail, non ?

Il la regardait bien en face, un air de défi dans ses yeux bleu vif.

— Ton mari passe avant cette espèce de vieille machine à écrire, non ?

« Il est jaloux ! se dit Lucy. Il est jaloux que je sois ce que lui et les siens appellent “ une personne instruite ". Il m'en veut de savoir lire et écrire ! »

— Comment pourrais-je aller à Harford, Robert ? demanda-t-elle. Nous sommes à des kilomètres de tout arrêt d'autobus.

— Prends la camionnette.

— Je ne sais pas conduire.

— Tu m'as dit que ton père t'avait donné des leçons, dans le temps ?

— Oui, convint-elle. Mais je ne me suis jamais inscrite pour l'examen.

— Tu peux t'en tirer, dit Robert. Tu n'as qu'à rouler doucement et bien rester sur le côté de la route.

— Mais je travaille..., répéta-t-elle.

— Et moi, j'ai envie de poisson ! répondit-il, d'un ton sans réplique.

Lucy laissa donc un mot sur le bureau de John Blandford, s'installa au volant de la camionnette et mit le moteur en marche. Elle engagea ce qu'elle espérait être la première vitesse et, un peu anxieuse, laissa revenir la pédale d'embrayage. Elle fut soulagée, mais presque surprise, de constater que la camionnette s'ébranlait, avançant avec des secousses dans l'argile grasse jusqu'au moment où elle atteignit la route goudronnée.

Lucy essaya la seconde vitesse, puis la troisième. Et soudain, elle sentit monter en elle une vague d'exaltation : elle roulait, en direction de Harford, seule, seule mais sans permis !

Tout de même, elle fut suffisamment prudente pour penser à s'arrêter avant d'atteindre l'aggloméramération proprement dite. Elle rangea la camionnette et fit à pied le reste du chemin, jusqu'à la poissonnerie.

Quand elle arriva au bureau du chantier, Lucy s'excusa auprès de John Blandford de s'être absentée une heure.

— Allons, mon petit, dit-il, je vous l'ai déjà dit, vous pouvez vous absenter quand bon vous semble.

— Vraiment ! fit-elle en souriant, j'aurais voulu que vous soyez mon patron, avant mon mariage !

John Blandford la regarda d'un air rêveur.

— Si j'avais été votre patron, peut-être ne vous seriez-vous pas mariée, déclara-t-il.

— Peut-être, dit-elle, plaçant une feuille blanche sur sa machine.

Elle revint à la caravane à temps pour préparer une énorme platée de poisson et de frites que Robert trouverait quand il aurait fini de coltiner ses briques.

Le plaisir évident avec lequel il dégusta son repas la récompensa de ses peines.

— Ma grand-mère disait que l'estomac est la voie la plus sûre pour conquérir les hommes ! s'écria la jeune femme. Je crois bien que c'est aussi vrai des Gitans que de n'importe qui.

— Des gens du voyage, rectifia-t-il en souriant.

La nuit était tombée quand Lucy fit la vaisselle. Elle voyait le reflet de son visage dans la vitre, au-dessus du petit évier. C'était un joli visage avec de longs cheveux blonds réunis en une seule natte, très simple ; et, dans ce visage, elle lisait une surprise amusée... Elle luttait pourtant contre un courant souterrain, croissant, de désespoir.

Le lendemain matin, Robert sortait de la caravane pour aller au chantier quand il se retourna vers elle. Il lui sourit.

— A propos, déclara-t-il, j'ai averti le vieux Blandford que tu n'irais plus travailler chez lui.

Lucy se figea, pâlit.

— Qu'as-tu dit ? demanda-t-elle, la voix tremblante.

— Il m'a répondu que c'était entendu, qu'il chercherait quelqu'un d'autre.

— Mais, Robert, de quel droit...

Les mots lui manquèrent. Elle le regardait fixement, incapable d'ajouter quoi que ce fût.

— Tu es ma femme, non ? reprit-il. Je t'avais dit que je ne voulais pas que tu ailles perdre ton temps là-bas, pas vrai ?

Elle le regarda partir. Ses yeux s'étaient assombris. Elle avait subi un choc terrible. Plus elle faisait d'efforts pour rester calme, plus la désinvolture de Robert la consternait et la mettait en colère. Quand elle vit l'auto de John Blandford arriver, elle courut au bureau du chantier.

John Blandford, qui n'avait pas encore pris le temps de retirer son chapeau et son imperméable, jetait un premier coup d'œil à son courrier.

— Monsieur Blandford, balbutia-t-elle, je suis désolée ! Je...

Comme elle courait vers la baraque, l'idée lui était venue que Robert avait peut-être plaisanté. Il lui suffit de jeter un coup d'œil sur le visage de John Blandford pour comprendre qu'il n'en était rien.

— Je suis désolé, moi aussi, mon petit, dit-il. Mais c'est comme ça...

— Voyez-vous, je n'avais pas...

Comment trouver une excuse sans accuser Robert ? C'était délicat.

— Je ne m'étais pas rendu compte que je n'aurais pas le temps de travailler ici et de... de faire tout le reste...

— Bien sûr !

Le visage rougeaud, paterne, de John Blandford était préoccupé. On voyait qu'il se faisait du souci pour elle, et Lucy, malheureuse, comprit qu'il était par avance décidé à croire tous ses mensonges sur sa fatigue et son surmenage.

— Ne vous inquiétez pas ! ne cessait-il de répéter. Ne vous inquiétez pas, mon petit. Vous m'avez beaucoup aidé.

Elle renonça à discuter. Elle débarrassa son bureau, rangea les stylos et les crayons dans le tiroir et dit au revoir à John Blandford.

— Je vous dois deux jours de travail, n'est-ce pas ? dit-il, tirant son portefeuille de sa poche.

Elle prit l'argent et l'enfouit vivement sous son mouchoir, comme s'il lui brûlait les doigts.

— Vous trouverez bien quelqu'un d'autre pour me remplacer, n'est-ce pas ? dit-elle en lui serrant la main.

— Certainement, mon petit !

Elle comprit qu'il mentait — comme Robert lui avait menti.

La décision de son mari était irrévocable ! Lucy s'en retourna, pataugeant dans la boue jaune, et fit semblant de ne pas entendre Robert qui, du haut de l'échafaudage, sifflait pour attirer son attention.

Elle fit le lit, lava la vaisselle du petit déjeuner, balaya la caravane et alla remplir les deux réservoirs d'eau au robinet mis à leur disposition. La colère qu'elle ressentait croissait et la poussait à travailler avec une énergie farouche qui faisait rouler la petite caravane de babord à tribord sous les coups frénétiques du lave-pont.

— Je vous hais, Robert Lowe ! s'écria-t-elle, furieuse. Je vous hais, parce que vous êtes ignorant, arrogant, stupide. Oh ! ne vous imaginez pas que vous allez pouvoir passer le reste de votre vie à me dicter ma conduite ! Vous vous préparez de graves mécomptes...

Alarmé par ce ton furieux, Zip sauta sur elle, cherchant sa main, quêtant une caresse.

— Ça n'est pas après toi que j'en ai, dit-elle, radoucie. C'est après lui...

Quand la caravane fut parfaitement en ordre, Lucy décida d'emmener le chien en promenade. Comme elle fouillait au fond du placard pour chercher de bonnes chaussures de marche, elle tomba sur l'argenterie de l'église de Great Wetherly, toujours enveloppée dans la vieille chemise.

Elle regarda le paquet, les lèvres pincées. Elle était sur le point de remettre les objets dans le placard quand une idée lui vint. Elle revêtit son imperméable et siffla Zip. Puis, l'argenterie sous le bras, elle ferma la porte de la caravane et se dirigea vers la camionnette.

Un bon moment lui fut nécessaire pour trouver le chemin de Great Wetherly et elle faillit se perdre dans le lacis des petites routes campagnardes peu fréquentées. Elle roulait lentement et prudemment. Sa colère tombait peu à peu.

Elle trouva l'église, un peu à l'écart du village. Elle descendit, enferma Zip dans la camionnette et se dirigea vers le porche, faisant bruire les feuilles mortes sous ses pas. Il n'y avait personne en vue. Après une petite hésitation, elle ouvrit la porte et entra.

L'église était froide, nue, déserte, et sentait la pierre humide. Lucy remonta l'allée centrale sur la pointe des pieds.

Toujours ouvertes, jamais surveillées, les églises — elle s'en rendait compte pour la première fois —

étaient une tentation permanente pour les voleurs les plus misérables et les vandales.

Prudemment, Lucy posa le petit paquet sur le premier banc et revint sur ses pas. Elle s'arrêta au niveau de fonts baptismaux. Une pancarte, contre un pilier, avait attiré son regard :

Il nous faut 20 000 livres pour des travaux urgents de restauration.

Pouvez-vous nous aider ?

Ce n'était qu'une petite pancarte, modeste, humble, et Lucy trouva ce dénuement singulièrement pathétique. Elle laissa tomber une pièce de cinq pence dans le tronc posé devant la pancarte et s'en alla sur la pointe des pieds.

Elle remonta dans la camionnette et retourna au chantier. Robert, seul dans la caravane, regardait, consterné, la cuisinière froide et la table nue.

— Où est mon dîner ? grommela-t-il.

— Je suis sortie un peu, répliqua-t-elle gaiement, et je ne me suis pas rendu compte de l'heure. Tu sais comment c'est, quand on n'a pas grand-chose à faire...

— Mais... qu'as-tu préparé pour le dîner ?

— Il y a du pain et du fromage ! dit-elle. Il reste quelques prunes cuites, aussi, si ça te tente...

Devant son air indigné, elle ne put se retenir d'éclater de rire. Brusquement, elle n'était plus en colère contre lui.

— Excuse-moi, Robert. C'est simplement que...

— Excuse-moi, toi aussi, reprit-il de façon plutôt inattendue. Je t'ai fait part un peu vivement de ma décision en ce qui concerne ton emploi chez le vieux Blandford, pas vrai ?

Elle s'approcha et le prit dans ses bras. Serrant contre elle le corps svelte et musclé, elle enfouit son visage dans le cou de Robert.

— Je t'aime, Robert, murmura-t-elle. Comme je t'aime !

Il la tint à bout de bras, scrutant son visage de ses yeux vifs.

— Et tu n'es plus en colère ?

Elle hocha la tête.

— Nous ne sommes en colère ni l'un ni l'autre, dit-elle. Nous en savons simplement un peu plus long sur la tolérance et la compréhension. C'est sans doute comme ça que le métier entre... Je veux dire que l'on s'habitue à la situation de gens mariés !

Il la regarda avec indulgence et amour.

— Ce que vous parlez bien, vous autres, gens instruits ! marmonna-t-il, respectueux. Tous ces grands mots-là, je n'en comprends pas la moitié, mais je te jure sur la tête de ma mère que je ne serai plus jaloux.

— Ainsi, tu étais vraiment jaloux ? s'écria-t-elle, avec une pointe d'allégresse.

— Bien sûr, que je l'étais ! Qu'est-ce que tu crois ?

Robert la reprit dans ses bras, et ils oublièrent tout ce qui n'était pas leur amour...

Lucy resta longtemps allongée, à rêver. Elle contemplait la caravane et songeait qu'elle paraissait plus nette encore depuis qu'elle ne recelait plus l'argenterie volée à l'église de Great Wetherly. Elle dirait à Robert qu'elle avait rendu l'argenterie...

Mais plus tard...

CHAPITRE VIII

L'automne se refroidit, annonçant l'hiver.

Robert travaillait toujours sur le chantier de construction. Lucy vaquait aux soins du ménage et de la cuisine. Elle faisait des promenades avec Zip. Le chien grandissait et prenait fière allure. Lucy fut fort émue lorsque Robert lui dit qu'il était maintenant assez grand pour qu'on le mît à la chaîne à l'extérieur de la caravane, la nuit.

— Mais c'est la mauvaise saison, Robert ! Il va avoir froid.

— Avec le pelage qu'il a ? Penses-tu ! Du reste, si je l'ai pris, c'est pour en faire un chien de garde, pas pour le chouchouter.

— Un chien de garde ? Mais que possédons-nous donc qui vaille la peine d'être gardé ?

Il la regarda, abasourdi. Sa stupéfaction était trop profonde pour lui permettre de trouver des mots. Dans l'univers de Robert, tout le monde avait un chien de garde ; moins les gens ont de choses, plus ce qu'ils ont leur paraît précieux et plus farouchement ils le protègent.

— En tout cas, dit-il, je n'aime pas qu'on vienne me surprendre à l'improviste.

— Mais qui pourrait venir nous surprendre ?

— Les gens de la mairie, par exemple, dit-il. Ou les policiers...

— Au milieu de la nuit ?

— On ne peut jamais savoir ce qu'ils feront. Il faut s'attendre à tout !

Donc, à la nuit tombée, ils attachèrent Zip au-dehors, non sans le pourvoir, sur l'insistance de Lucy, d'une niche improvisée faite d'un morceau de tôle ondulée. Le chien parut accepter de bonne grâce ses nouvelles responsabilités. Ce que voyant, Lucy essaya de s'en accommoder, elle aussi.

Un après-midi de décembre, à Harford, Lucy rencontra sa mère. Ce fut une rencontre soudaine, totalement inattendue. Leurs mains s'étaient tendues en même temps pour prendre le même paquet de légumes surgelés, au supermarché, et elles s'immobilisèrent quand les deux femmes, saisies, se reconnurent par-dessus le bac géant et glacial du freezer ouvert.

— Maman !

— Je cherchais des brocolis, balbutia Jane Brennan. Ça change un peu, de temps en temps, n'est-ce pas ?

— Oui...

— Mais on dirait qu'ils n'en ont pas...

Bousculées par leurs autres clientes, elles restaient plantées là, à se regarder fixement, émues, agitées. Puis elles se déplacèrent de concert et allèrent chercher un coin plus tranquille devant le rayon des épices et des fines herbes.

— Oh ! ma chérie ! dit la mère. Comment vas-tu ?

— Bien, assura Lucy, avec un beau sourire. Parfaitement bien. Et toi, comment vas-tu ?

— Très bien aussi. Vraiment très bien.

— Tu as l'air en pleine forme !

— Toi aussi.

— Et comment va papa ? Et Nick ?

— Bien. Ton père a beaucoup de travail, en ce moment. Nick va jouer dans la pièce qu'ils ont montée, à son école.

— Une pièce ? J'aimerais bien la voir.

— Les enfants doivent la jouer, dans le hall de l'école, vendredi et samedi prochains à 18 h 30. Ils vendront les billets à la porte...

Sa voix faiblit. Lucy lut dans ses yeux une gêne soudaine.

— J'irai seule, déclara-t-elle vivement. Le soir, Robert est fatigué, en général, et les autres... Enfin, le reste de la famille... Ils ne sont pas là pour le moment.

— Lucy, dit Jane Brennan d'un ton pressant, est-ce que tout va vraiment bien ? Es-tu heureuse, et est-ce que...

— Oui, dit doucement Lucy, tout va parfaitement. Robert et moi, nous sommes très heureux.

— Robert..., répéta Jane Brennan, prononçant ce nom comme si c'était la première fois. Prend-il vraiment soin de toi ?

— Il ne pourrait pas faire mieux. Il a un travail régulier, très bien payé. Moi, je tiens notre ménage. Tu sais, on trouve dans notre caravane tout ce qu'il peut y avoir dans une maison ordinaire... Et nous avons un chien, très gentil. Nous l'avons appelé Zip !

Les mauvais jours étaient oubliés ; elle ne se rappelait plus que le bonheur qu'elle avait connu pendant les trois derniers mois.

— Je suis contente, reprit simplement Jane Brennan. Souvent, je n'arrive pas à dormir, la nuit, parce que je pense à toi...

Elles se remirent en marche, quittèrent le rayon des épices et des fines herbes, traversèrent celui des confitures et des compotes, puis passèrent aux tartes, gâteaux ou poudings de Noël. Un silence tomba entre elles.

— Les décorations de Noël sont très jolies, cette année, dit Lucy, montrant des objets scintillants. C'est encore un avantage de vivre dans une caravane, vois-tu : deux guirlandes de papier et un petit ange en plastique suffisent à créer une ambiance de fête !

Elles approchaient des caisses. Jane Brennan posa sur le bras de sa fille une main insistante... Leurs paniers métalliques se heurtèrent.

— Lucy, souffla Jane Brennan, veux-tu venir

passer le jour de Noël avec nous ? Toi et Robert ? Tu vois, nous ne faisons rien de spécial. Il n'y aura que ton père, Nick et moi...

— Eh bien, c'est rudement gentil de ta part de nous inviter, maman ! dit Lucy, avec beaucoup de chaleur. Cela nous fera grand plaisir, si vraiment cela ne vous gêne pas.

— Cela m'ira parfaitement, affirma Jane.

— Mais papa ? Tu comprends, lui, il...

— Il veut que vous veniez, tous les deux. Il le veut autant que moi.

— Bon, alors... Eh bien, c'est entendu !

Elles se sourirent et ponctuèrent leur accord d'un signe de tête. Chacune se rendait compte que l'autre était tout près de fondre en larmes ; mais une bousculade les sépara. Quand Lucy arriva à la caisse la plus proche, sa mère avait disparu.

Mais cela ne présentait plus aucune importance. Tout allait bien. Le message avait été reçu, l'invitation à amener Robert au foyer de ses parents avait été acceptée. Qu'ajouter encore ? Chacune avait lu dans les yeux de l'autre tout ce qu'elle devait savoir.

Lucy jubilait. Elle chargea ses provisions à l'arrière de la camionnette et sortit de Harford, roulant lentement dans la campagne que la nuit envahissait... Les arbres dépouillés détachaient leur squelette noir sur un ciel couleur de lavande. Les labours étaient presque achevés, maintenant. Les sillons endormis s'étendaient de chaque côté de la route. Des bandes d'étourneaux, qui s'égaillaient comme des poignées de grains jetées à la volée, regagnaient les lieux familiers où ils nichaient, dans la ligne sombre des bois.

Avec Robert, Lucy avait fait l'expérience de la vie aux champs, dans les chemins, et appris à connaître le monde furtif des bêtes sauvages. Les cris aigus et les échauffourées nocturnes de la faune invisible ne la gênaient plus. L'air piquant, qui sentait déjà la gelée blanche, ne la faisait plus frissonner.

Elle accéléra, soudain impatiente d'annoncer la nouvelle à Robert. Elle arriva au chantier et rangea la camionnette à l'endroit habituel. Comme elle se dirigeait vers la caravane éclairée, elle se rendit compte qu'une ramasseuse-batteleuse était arrêtée près de là. Contente à la perspective de voir quelqu'un de la famille, elle pressa le pas, mais s'arrêta net en voyant la porte de la caravane s'ouvrir. La silhouette de Robert se découpa à contre-jour.

Il restait planté là, immobile. Lucy ne pouvait pas distinguer son visage, mais elle comprit instantanément que quelque chose n'allait pas...

— Numa est ici, dit-il. Il est venu chercher ce qui lui appartient.

Lucy sentit son cœur se serrer, mais elle fit effort pour parler d'un ton enjoué.

— Ce qui lui appartient ? S'il veut parler de l'argenterie de Great Wetherly, je crains qu'il ne...

— Tais-toi ! ordonna-t-il rudement.

Lucy sentit un frisson la parcourir.

Robert tendit le bras et la prit par l'épaule.

— Tu me fais mal ! protesta-t-elle.

— Où les as-tu mis ? Qu'as-tu fait des objets en argent qu'il m'avait confiés ?

Elle se dégagea.

— Je voulais te le dire. Je les ai rendus à l'église à laquelle ils appartiennent...

Sa voix se brisa brusquement. Robert l'avait frappée, giflée ! Le coup n'avait pas été très violent, mais il l'avait fait vaciller.

— Eh bien, s'écria-t-il, je te conseille d'aller lui raconter ça toi-même ! Mais, avant que tu n'y ailles, j'aime autant te prévenir : il a bu...

— Ça m'est égal ! répliqua-t-elle, furieuse à présent.

— A moi, ça ne m'est pas égal ! Numa a bu et... il a un couteau...

Numa était petit, râblé, noiraud. Son visage disparaissait dans l'ombre d'un chapeau graisseux. Quand Lucy était entrée dans la caravane, derrière Robert, il était vautré sur la couchette et jouait nonchalamment avec un grand couteau...

Lucy considéra Numa sans mot dire. Il leva la tête et lui rendit son regard, mais ses yeux étaient troubles.

— Qui êtes-vous ? demanda-t-il brutalement.

— La femme de Robert, répondit Lucy, ajoutant d'un ton sec : Vous avez apporté beaucoup de boue avec vous !

Numa sourit, découvrant de petites dents.

— Ce n'est pas tout ce que j'ai apporté...

Il laissa tomber le couteau sur la couchette, à côté de lui. La lame luisait dans la pénombre de la caravane.

Décidée à ne pas se laisser intimider, Lucy posa son sac sur la table. Comme elle se tournait, elle s'aperçut que Numa n'était pas leur seul visiteur. Accroupie dans un coin, comme si elle répugnait à occuper plus de place qu'il n'était nécessaire, une jeune femme maigre la regardait, ouvrant de grands yeux emplis d'appréhension.

— Rose ! s'écria Lucy.

Mais la visiteuse ne répondit au plaisir évident manifesté par Lucy que par un vague petit sourire crispé.

— Je suis venu chercher ce qui m'appartient, déclara Numa, sans se lever de la couchette.

— Vraiment ? Qu'est-ce que cela peut bien être ? demanda Lucy, qui s'efforçait de prendre un ton désinvolte.

— L'argenterie ! Il me la faut. Donnez-la-moi !

Sans mot dire, Robert offrit une cigarette à Numa. Lucy sentit son cœur se serrer quand elle surprit le regard de son mari. « C'est toi qui nous as mis dans ce guêpier, semblait-il dire. A toi de nous en sortir, maintenant ! »

Elle respira fortement, profondément.

— Si vous voulez parler de l'argenterie qui a été volée dans l'église de Great Wetherley, répliqua-t-elle, je regrette de ne pouvoir vous la remettre.

— Et pourquoi donc ?

Ses yeux semblaient un peu moins égarés. Il regardait Lucy avec intensité.

— Parce que je l'ai reportée à l'endroit où elle avait été prise.

Dans le court silence qui suivit, elle entendit Robert reprendre vivement son souffle, et aperçut Rose qui se recroquevillait davantage encore dans son coin. Seul, Numa resta immobile.

— Vous n'auriez pas dû faire ça, ma fille ! s'écria-t-il enfin.

Il reprit son couteau et se remit à jouer avec.

— C'est toi qui l'as obligée à faire ça ? demanda-t-il à Robert.

— Non, dit Robert sèchement. Je n'ai rien à voir là-dedans.

Numa siffla, très doucement.

— C'est ta femme ! Tu vois ce qui arrive quand on se mêle de fréquenter une *gorgia !*

Robert sauta sur lui. Au même instant, Numa se releva de la couchette, serrant le couteau dans son poing fermé. Lucy s'aperçut immédiatement qu'il en était à ce stade de l'ivresse où l'alcool accélère les réactions plutôt qu'il ne gêne les mouvements. La porcelaine cliqueta sur l'étagère, la caravane trembla. Excité par cette animation soudaine, Zip se mit à aboyer furieusement.

La main de Robert encercla fermement le poignet de Numa, écartant le couteau. Les provisions achetées par Lucy, balayées, tombèrent de la table avec fracas. Serrant son bras libre autour du cou de Numa, Robert tira dessus. On put croire un moment que Numa allait laisser tomber le couteau. Mais le mari de Rose, grondant sous l'étreinte de son beau-frère, glissa son pied entre ceux de son adversaire et le contraignit peu à peu à reculer vers la porte. Déséquilibré, Robert desserra sa prise une fraction de seconde et cela suffit à Numa pour dégager sa tête. Son chapeau tomba, découvrant un crâne chauve.

Robert, haletant, donna à Numa un coup de poing en plein visage. Mais le coup n'était pas assez fort car, au moment où il l'avait lancé, Robert tombait déjà en arrière, arrachant la porte au passage, entraînant Numa, qui tomba sur lui. Zip suivait, aboyant comme un perdu.

— Robert ! cria Lucy.

Elle courut après lui, puis s'arrêta, malheureuse, impuissante, devant les deux hommes qui. confondus dans une étreinte furieuse, roulaient de droite et de gauche dans le rectangle de boue éclairé par l'ouverture de la porte.

Puis il y eut l'éclair d'une lame et les deux combattants s'immobilisèrent. Ils ne firent plus qu'une seule masse monstrueuse, noire, couchée dans la boue.

Incapable de parler, Lucy restait immobile, aussi. Les aboiements de Zip s'étaient mués en gémissements. Le chien courait en tous sens dans le carré de lumière. Puis l'ombre bougea, gémit. Avec un soulagement inexprimable, Lucy vit Robert se relever et pousser de côté le corps de Numa. Robert se mit debout et, à grands revers de main, essaya de faire tomber la boue collée à ses jambes de pantalon. Lucy courut à lui.

— Ça va, oui ? Tu n'as rien ?

— Rien, non.

— Oh ! Robert, je suis si...

Il détacha les mains de Lucy qui s'accrochaient à lui et revint vers la caravane. Du seuil, il désigna d'un signe de tête le corps inanimé de Numa.

— Il vaudrait mieux s'occuper de lui, murmura-t-il. Je crois bien qu'il est mort.

S'armant de courage, Lucy s'approcha de Numa. Il était étendu sur le dos, les bras en croix, et la lumière de la caravane luisait sur ses yeux entrouverts. Le couteau était tombé à côté de lui. Lucy le ramassa puis, impulsivement, le lança aussi loin qu'elle le put, dans la haie, de l'autre côté du chemin.

Ce fut en voyant la petite silhouette effrayée de Rose, tapie sur le seuil de la caravane, que Lucy trouva le courage de toucher Numa. Elle eut un choc en retirant, gluante de sang, la main qu'elle avait posée sur le devant de la veste ; mais, en un sens, elle subit un choc pire encore quand elle s'aperçut, soudain, que le blessé avait les yeux grands ouverts et qu'il la regardait.

— Robert ! s'écria-t-elle. Il est vivant !

Tous deux le portèrent dans la caravane. Robert tenait Numa sous les bras et Lucy par les jambes. Rose suivait en silence. Ils l'étendirent sur la couchette et virent ses lèvres remuer une ou deux fois.

Numa essayait de parler, mais ses yeux se fermèrent. Il parut perdre connaissance.

La blessure faite par le couteau s'étendait sur une assez grande longueur, à partir du creux de l'épaule droite. Le sang s'écoulait lentement vers l'aisselle. Lucy, qui s'était un peu calmée, plongea une serviette propre dans de l'eau froide, la tordit et lava la blessure, puis essaya d'improviser un pansement avec une autre serviette, déchirée en bandes.

Robert et elle retirèrent ses bottes à Numa et recouvrirent son corps d'une couverture. Puis, remarquant la pâleur de Rose, Lucy prépara du thé, qu'ils burent très chaud et très sucré. Assis autour de la table, ils essayaient d'oublier le corps étendu derrière eux sur la couchette.

Ils buvaient en silence — un silence qui ne fut rompu que par le soudain crépitement de la pluie sur le toit de la caravane. Puis Robert se secoua et demanda à Rose où ils campaient, Numa et elle.

— Près de la ferme Harvey, du côté de Penston.

— Pour combien de temps ?

— Je ne sais pas. Jusqu'à ce qu'ils nous disent de partir, je pense.

Elle chuchotait plus qu'elle ne parlait. Lucy, qui avait pour la première fois l'occasion de l'observer de près, ne retrouva guère trace de la petite Gitane hâlée, couverte de taches de rousseur, qui riait et dansait en attendant l'autobus, il y avait bien des années de cela. Elle était pâle, maintenant, et très maigre, et elle semblait ne pas pouvoir se résoudre à regarder en face ceux qui lui parlaient.

— Ne te fais pas de souci, Rose ! dit Lucy, posant sa main sur celle de la visiteuse. Il ne faudra que quelques jours à Numa pour se rétablir.

Rose acquiesça mais retira vivement sa main, craintive comme un petit animal sauvage devant une bête de proie.

Les deux femmes se retournèrent pour regarder Numa — et Lucy s'avoua qu'il ne ressemblait guère à un homme qui va rapidement se remettre ! Son crâne chauve était emperlé de sueur. Quand Lucy déboutonna sa chemise, elle s'aperçut que le pansement qu'elle lui avait posé était déjà trempé de sang.

— Il faut le transporter à l'hôpital, déclara-t-elle. On lui posera des points de suture, ou on le recoudra.

— Impossible ! répliqua sèchement Robert.

— Il le faut, voyons ! On ne peut pas le laisser continuer à perdre son sang comme cela !

— Tu ne peux pas le faire toi-même ?

— Quoi ? le recoudre ? s'écria-t-elle, abasourdie. Pour l'amour de Dieu, Robert, crois-tu que j'en sois capable ?

Ses yeux assombris avaient une expression boudeuse, presque révoltée.

— Maman aurait su le faire, elle ! Elle a recousu l'oncle Joseph, le jour où il était tombé d'une échelle.

— Je ne veux pas savoir ce qu'elle aurait su faire ! protesta Lucy, d'une voix qui montait dangereusement. Il faut avoir de l'expérience et posséder les instruments et l'installation voulus pour effectuer ce genre d'opération, si on ne veut pas que la plaie s'infecte.

— Aucun risque avec lui ! marmonna-t-il. C'est seulement pour les *gorgios* qu'on a besoin de faire tous ces embarras.

Sans répondre, Lucy déchira une autre serviette et remplaça le pansement trempé de sang. Numa serra fortement les dents et eut une crispation de la bouche, mais ne donna aucun autre signe de conscience. Robert, qui l'avait regardé, se détourna.

— Il ira bien demain matin, affirma-t-il.

— Je veux espérer que tu ne te trompes pas, répondit-elle, l'air préoccupé.

Les deux heures qui suivirent s'écoulèrent dans un silence gêné. Par deux fois, Robert alluma le poste de radio pour le refermer chaque fois presque aussitôt d'un geste impatient ! Il restait assis et tambourinait du bout des doigts sur la table tout en sifflant, tandis que Rose, recroquevillée sur un tabouret, dans un coin, ne bougeait pas, les yeux tristement baissés sur le plancher. Lucy, frappée de l'apathie silencieuse dont la jeune femme faisait preuve envers son mari, la prit pour une extrême insensibilité jusqu'au moment où elle se rendit compte que Rose était en fait, terrorisée. Elle restait prudemment à l'écart de cette forme étendue sur la couche, comme un chien qui s'attend à être battu.

Personne n'avait envie de manger. Lucy et Robert avaient beaucoup de choses à se dire, mais ils ne se sentaient ni l'un ni l'autre capables de prononcer le moindre mot.

Il était près de 20 heures quand Lucy, allant jeter un nouveau coup d'œil à Numa, constata qu'il avait les yeux grands ouverts. Elle lui demanda comment il se sentait et, bien qu'il ne répondît pas, son expression haineuse lui fit froid dans le dos. Doucement, elle lui souleva la tête pour lui faire boire une gorgée d'eau avant d'examiner l'état du pansement. De nouveau, elle le trouva trempé de sang.

— Robert, dit-elle à voix basse, je vais l'emmener à l'hôpital. Aide-moi à le transporter dans la camionnette.

Robert commença par faire des difficultés puis, voyant l'expression soucieuse de Lucy, il s'approcha de la couchette et vint examiner son beau-frère. Les yeux baissés sur Numa, qui soutenait son regard sans ciller, il demanda à Lucy ce qu'elle comptait dire aux médecins.

— Je trouverai quelque chose. Je prétendrai que c'était un accident.

— Tu pourrais leur raconter que nous nous amusions, que nous faisions les imbéciles ? suggéra-t-il, hésitant.

Puis son visage s'assombrit. Il se pencha sur le blessé et serra les poings.

— C'était un accident, tu entends ? Si tu t'avises de leur dire autre chose, je te réglerai ton compte. Je le jure sur la tête de ma mère !

Lucy fit reculer la camionnette tout contre la caravane, ouvrit le hayon. A eux deux, ils installèrent Numa à l'arrière du véhicule.

L'air craintif, Rose les regardait s'activer.

— Viens-tu avec nous ? lui demanda Robert.

Elle fit non de la tête. Il lui conseilla de rentrer dans la caravane et de les attendre.

L'hôpital le plus proche se trouvait à une vingtaine de kilomètres. Robert conduisait sans dire un mot. Assise à côté de lui dans l'obscurité, Lucy sentait de plus en plus peser sur elle le poids de toutes les choses qu'elle avait envie de dire, qu'elle aurait dû dire. Elle n'était nullement disposée à présenter des excuses pour avoir reporté l'argenterie à Great Wetherly, mais elle éprouvait le besoin d'expliquer l'impulsion qui lui avait dicté ce geste. Surtout, elle avait besoin d'entendre Robert lui affirmer qu'il la comprenait. Mais, avec Numa étendu si près d'eux, toute conversation était impossible.

Ils purent parler un peu seulement lorsqu'ils arrivèrent devant l'entrée du service des urgences. Ils attendirent un moment, tous deux, devant l'arrière, fermé, de la camionnette.

— Tu entreras avec nous ? demanda Lucy.

Robert restait là, méfiant comme un animal sauvage hors de son territoire.

— Non, dit-il. Pourquoi ne pas le laisser là, simplement ? Ils le trouveraient bien...

— Robert, pour l'amour de Dieu !

Les yeux de Lucy brillaient d'indignation, Robert détourna le regard.

— Ma foi, j'ai dit que je l'amènerais ici, et je l'ai fait. Mais c'est tout. Je ne tiens pas à avoir des ennuis...

Elle retroussa sa lèvre supérieure dans une moue dédaigneuse.

— Si c'est comme ça, va donc te cacher dans les buissons, là-bas, pendant que j'irai chercher quelqu'un pour m'aider à le transporter !

Elle tourna les talons et se dirigea résolument vers l'entrée éclairée, adressant au Ciel une prière silencieuse pour que son mari la suivît. Mais elle n'entendit aucun bruit derrière elle. Au moment de franchir la porte, elle se retourna et vit l'ombre furtive de Robert se glisser dans la nuit, cherchant la sécurité du parc de l'hôpital.

Lucy attendit que l'on vînt s'occuper d'elle, et, pendant ces quelques instants, elle se répéta une explication qui, espérait-elle, paraîtrait, sinon convaincante, du moins plausible, au sujet du coup de couteau. Quand le moment arriva, elle fut stupéfaite de constater que le personnel de l'hôpital semblait se désintéresser complètement de ce qu'elle racontait.

Un brancardier et un ambulancier enlevèrent Numa de la camionnette et regardèrent, sans faire aucun commentaire, la chemise tachée de sang que Lucy avait reboutonnée par-dessus le pansement.

On transféra Numa sur un chariot à grandes roues. Le blessé restait immobile, les yeux fermés. Dans la lumière vive de l'hôpital, son teint paraissait jaunâtre. Ce visage, envahi par une barbe mal rasée, présentait un aspect déplaisant avec la bouche pincée, les sourcils broussailleux et le crâne prématurément chauve...

Et pourtant, Lucy, qui le scrutait pour y trouver un soupçon d'expression, se dit qu'elle surmonterait sa répugnance et accepterait Numa pour beau-frère si seulement il voulait bien ne pas accuser Robert...

— C'est un accident stupide, affirma-t-elle à l'infirmière qui venait retirer la chemise et le pansement de Numa. C'était pour rire... Je veux dire, tout ça a commencé comme une plaisanterie...

— Bon ! bon ! fit l'infirmière, découvrant la blessure. Et qui a eu l'idée de cette plaisanterie-là ?

— Moi, dit Lucy, soutenant son regard sans broncher.

L'infirmière embrassa Lucy et Numa d'un même coup d'œil froid.

— Ce qu'on peut dire de vous autres, en tout cas, déclara-t-elle, c'est que, quand vous vous amusez, vous n'y allez pas de main morte.

Et ce fut tout..., sauf que Lucy dut laisser son nom et son adresse (« aux bons soins de l'entreprise de construction »). Personne ne voulait rien savoir ; personne ne semblait particulièrement intéressé par son histoire. Alors, ayant été informée que Numa était admis et resterait hospitalisé jusqu'à sa guérison, elle retourna à la camionnette, le cœur relativement plus léger.

Robert, assis au volant, fumait une cigarette.

— Comment ça s'est-il passé ?

— Bien, indiqua-t-elle. Ils n'ont pas fait de difficultés. Mais, si ça s'est bien passé, ce n'est sûrement pas grâce à toi.

— Ils n'ont pas posé trop de questions ?

Elle fit non de la tête. Il mit le contact et démarra. Lucy était soulagée de n'avoir pas subi un interrogatoire trop serré, mais l'impression heureuse qu'elle en ressentait fut balayée par le souvenir tout proche de la lâcheté de Robert. Il s'était enfui ; il avait couru se réfugier dans l'obscurité, la laissant seule face à l'orage ! Cet orage, il est vrai, qui en était responsable ? Pas Robert. Si, en premier lieu, Lucy ne s'était pas mêlée de cette histoire, si elle n'avait pas rapporté l'argenterie... Mais, bien entendu, c'était une façon trop facile de rejeter les véritables responsabilités. L'affaire n'avait pas commencé là, non plus. Numa n'aurait pas dû voler l'argenterie, et il n'aurait certainement pas dû la laisser à Robert et à Lucy... Pas plus que Robert n'aurait dû accepter de la cacher.

Lucy pensa pourtant qu'elle pardonnerait à Robert. Si lui-même lui pardonnait... Furtivement, elle tendit sa main vers celle de son mari. Mais un coup d'œil sur son profil de marbre lui suffit... et son geste ne fut qu'ébauché.

Tous deux revinrent vers la caravane sans échanger un mot, ouvrirent la porte, entrèrent. A la lumière d'une unique petite lampe, ils virent Rose recroquevillée, endormie à même le plancher, la joue posée sur ses mains jointes. Lucy poussa une exclamation de pitié et voulut courir auprès de la jeune femme, mais Robert la retint.

— Laisse-la ! dit-il. Elle est habituée à vivre à la dure.

Tout de même, il prit sur la couchette une couverture dont il enveloppa sa sœur, tout doucement, pour ne pas la réveiller.

Robert et Lucy se couchèrent aussitôt. Ils s'embrassèrent, avant d'éteindre, mais sans faire, ni l'un ni l'autre, aucune allusion aux événements de la soirée : Lucy parce qu'elle aurait eu besoin d'y être quelque peu encouragée ; Robert à cause de sa méfiance innée pour les propos inconsidérés. Il s'endormit vite. Lucy resta longtemps éveillée. Etendue sur la couchette, sous la fenêtre couverte de buée, elle écoutait la respiration du frère et de la sœur. Elle réfléchissait à cette dernière aventure et en arrivait à la conclusion amère qu'elle s'était fondamentalement trompée en s'imaginant que les Gitans étaient des gens comme les autres.

Oh non ! Ils étaient aussi étrangers, aussi différents d'aspect et de comportement que des créatures venues de deux planètes.

— Je n'arrive pas à te comprendre. Tu me fais l'effet de... je ne sais pas, d'un Martien...

— Un Martien ? s'écria Robert. Que vas-tu chercher là ?

Le matin, une fois le silence brisé, entre eux, ça avait été un torrent soudain, un véritable déferlement de récriminations coléreuses.

Dans le brouillard matinal, alors que, sorti de la caravane, Robert s'apprêtait à aller porter ses briques, Lucy lui demanda, du seuil, s'il se proposait d'aller rendre visite à Numa à l'hôpital, ce soir-là.

— Non ! fit-il.

— Parce que c'est toi qui lui as donné le coup de couteau ? laissa-t-elle échapper, imprudemment, car elle aurait pu deviner la réponse !

— La faute à qui ? Si tu n'avais pas été te mêler de tout, nous ne serions pas dans ce maudit pétrin, pas vrai ?

Lucy croisa les bras et s'essaya au sarcasme :

— Bon ! bon ! Si je n'avais pas rapporté les objets à l'endroit où on les avait volés, tu n'aurais pas failli tuer ton beau-frère. Je veux bien. Seulement, dans le milieu d'où je viens, on ne vole pas et on ne se bat pas à coups de couteau.

Le visage de Robert se crispa dans une expression haineuse.

— Ton milieu ! répéta-t-il, méprisant. Toi et les gens de ton espèce, vous passez votre temps à faire la loi aux autres. Vous commencez par leur retirer le droit de vivre décemment à leur façon, comme ils veulent, en voyageant par le pays et en faisant les petits travaux qu'ils aiment faire ; et après ça, vous...

— Oh ! tais-toi ! lança-t-elle, furieuse. J'ai déjà entendu tout ça. Tais-toi, je t'en prie !

— Ça ne te ferait pas de mal de l'entendre encore une fois, d'autant que tu te plains toujours que je ne parle pas assez.

— Parle, mais ne récrimine pas ! soupira-t-elle, amère.

— Oh ! ça va ! Raconte ce que tu voudras, fais ce que tu voudras, je m'en fiche pas mal ! Et je me fiche pas mal aussi que tu sois encore là ou que tu n'y sois pas quand je reviendrai.

Robert s'en alla à grands pas vers le chantier de construction. Vibrante de colère, Lucy vit sa silhouette se fondre et disparaître dans la brume, mêlée à celle des autres ouvriers.

Elle rentra dans la caravane. Rose se servait du thé. Quand elle vit Lucy, elle se détourna d'un air coupable.

— Tu peux m'en verser une tasse, à moi aussi, marmonna Lucy.

Absorbée par ses pensées, elle ne fit aucun effort pour parler à Rose qui, ses jambes maigres repliées sous elle, restait assise, les yeux fixés sur le plancher.

CHAPITRE IX

« Fais ce que tu voudras, je me fiche pas mal que tu sois encore là ou que tu n'y sois pas quand je reviendrai ! » avait dit Robert. La tentation était grande de le prendre au mot. C'était, semblait-il, la façon la plus indiquée de lui donner une leçon. D'ailleurs, cette colère qu'elle sentait brûler en elle n'était-elle pas la preuve qu'elle en avait assez de lui ? Ce qui les avait liés était mort ; il n'y avait plus entre eux que de la haine.

Sans mot dire, Lucy vida sa tasse, puis se mit au travail. Elle voulait nettoyer la caravane à fond, une dernière fois. Elle lava la vaisselle du petit déjeuner, alla remplir les réservoirs d'eau au robinet du chantier, refit le lit, balaya. Elle récura le plancher, donnant de grands coups, avec le lave-pont, contre les pieds de la chaise de Rose. La jeune femme lui offrit timidement de secouer le tapis, mais Lucy le lui arracha des mains et s'acquitta elle-même de cette tâche.

Puis elle se mit à préparer ses bagages, prenant

ses vêtements et en bourrant sans soin, rageusement, sa valise. Elle était sur le point de la fermer, quand on frappa à la porte.

— Oui ? répondit-elle, trop occupée pour se retourner.

— Est-ce bien ici que demeure monsieur Robert Lowe ?

La voix était assez polie, aimable même. Lucy n'avait pas besoin de se retourner pour savoir que l'homme portait un uniforme bleu. Au fond d'elle-même, elle savait bien qu'elle attendait cette visite.

— Oui, reprit-elle, impassible. Il habite ici. Vous voulez le voir ?

L'homme gravit la dernière marche et entra dans la caravane, qui trembla sous son pas lourd. Il retira sa casquette.

— Il paraît qu'il y a eu ici, hier soir, un incident au cours duquel un certain... — il consulta une feuille qu'il tenait à la main — un certain Numa Smith a été attaqué. Ce monsieur Smith a été ultérieurement admis à l'hôpital.

— Nous l'y avons transporté, dit Lucy.

Rose intervint, d'une voix ténue qui arriva, comme un soupir, du coin le plus éloigné de la caravane.

— Est-ce qu'il est mort, monsieur ?

L'agent se retourna et lui demanda qui elle était.

— Rose Smith. Je suis sa femme.

— Non, dit-il. Il n'est pas mort.

Pour empêcher ses mains de trembler, Lucy les « occupa ». Elle pesa sur le dessus de sa valise bourrée et fit claquer les fermoirs. L'agent s'approcha d'elle.

— Vous vous en allez ?

— Pourquoi pas ?

— On pourrait avoir besoin de vous comme témoin, dit-il avec un sourire. Peut-être accepteriez-vous de me dire où je puis trouver votre mari, madame Lowe ?

— Vous savez qui je suis ?

— Oh oui ! dit-il. Nous savons qui vous êtes.

La rage qui avait nourri l'activité fébrile de Lucy, depuis le matin, l'abandonna soudain. Elle se laissa tomber lourdement sur le bord de la couchette.

— Il est là-bas, sur le chantier de construction, dit-elle. Mais il n'a rien à voir dans...

— Non, bien sûr, dit l'agent. Nous désirons simplement lui poser quelques questions, c'est tout.

Il s'éloigna et elle le suivit des yeux, par la fenêtre. Elle vit un autre agent descendre de la voiture pie et le rejoindre. Les deux hommes se dirigèrent vers le chantier de construction. Elle vit John Blandford, en chapeau de tweed et veste de peau de mouton, sortir de son bureau pour s'entretenir avec eux. Il jeta un bref regard vers la caravane. Puis il montra du doigt une des maisons en cours de construction et retourna dans son bureau dont il claqua violemment la porte.

Les policiers escortèrent Robert vers la voiture pie. Ils l'encadraient, mais sans le toucher. Tout de même, Lucy fut émue, de façon presque insupportable, en voyant son mari avancer entre eux. Il marchait dans la boue avec la grâce discrète, étrange, qui semblait l'apanage de tous les membres de sa famille.

Elle leur cria d'attendre, sortit précipitamment de la caravane, courut vers eux, pataugeant dans les flaques glissantes.

— Si vous devez l'interroger, pourquoi ne pas le faire ici ? fit-elle remarquer. Dans la caravane... J'attendrais au-dehors. Vous pourriez lui parler en privé...

Sa voix s'éteignit devant l'impassibilité de l'agent qui se contentait de faire « non » de la tête. Elle regarda Robert et comprit qu'elle l'aimait plus qu'elle ne l'avait jamais aimé. La colère, la rancune, tout ce qui les séparait avait fondu. Il ne restait plus que la magie de leur amour.

Trop émue pour parler, elle lui saisit la main et la tint dans les siennes, lui refermant les doigts et serrant son poing fermé comme si c'était le seul moyen de lui transmettre la profondeur de ses sentiments. Il comprit et ses yeux bleus s'adoucirent.

Elle l'accompagna jusqu'à l'auto ; il s'y installa, à l'arrière. Un des agents prit place à côté de lui, l'autre se mit au volant et la voiture démarra.

Lucy revint à la caravane, trop aveuglée par ses larmes pour voir le petit groupe des autres ouvriers qui, de loin, avaient suivi la scène avec curiosité.

Elle rouvrit sa valise et la vida. Ses larmes redoublèrent : elle se rappelait qu'elle n'avait pas transmis à Robert l'invitation à passer la journée de Noël chez ses parents...

Robert parti, Lucy se retrouva seule avec Rose. Elle contemplait sa petite belle-sœur comme si elle la voyait pour la première fois. Elle fut frappée en comprenant que, jusque-là, elle s'était montrée plutôt impolie ou tout au moins désinvolte envers Rose. Elle n'avait pas témoigné le moindre intérêt, même de pure forme, pour la santé de Numa, et elle n'avait fait aucun effort pour mettre Rose à son aise. Aussi, au cours du déjeuner, fit-elle de son mieux pour se rattraper et se montrer aimable.

— Tu te souviens, Rose, quand nous étions enfants ?... Ta famille campait dans le bois de Candlemas et nous attendions le car de ramassage scolaire, Robert, Charles, toi et moi...

Les yeux baissés, Rose déclara qu'elle se souvenait.

— Ça semble déjà bien loin, n'est-ce pas ? Et maintenant... j'ai épousé Robert.

— Oui.

— Cela fait trois mois que nous sommes mariés, tu sais ?

— Qu'en pensent ton père et ta mère ? demanda Rose d'une voix faible, apeurée.

— Ma foi, avoua Lucy, ils n'étaient pas trop contents, au début. Mais je crois qu'ils en sont revenus, maintenant qu'ils se sont rendu compte que ce n'était pas un coup de tête de ma part.

— C'est que tu es une bagarreuse, toi, dit Rose. Tu te bats toujours pour avoir ce que tu veux.

— Tu ne te bagarrerais pas, toi ?

Rose hocha la tête.

— Non. Je suis toujours trop peureuse pour me risquer... Puis il faudrait que ça en vaille la peine. Rien ne semble avoir suffisamment d'importance.

— Voyons, Rose, il ne faut pas dire ça ! C'est terrible !

Lucy était vraiment choquée. Cependant, comprenant que, devant sa réaction trop vive, Rose rentrait timidement dans sa coquille, elle reprit plus doucement :

— Mes parents nous ont invités chez eux, Robert et moi, pour le jour de Noël. Je vais te proposer quelque chose : si Numa est encore à l'hôpital, pourquoi ne viendrais-tu pas, toi aussi ?

— Je ne crois pas qu'il aimerait ça.

— Qui ?

— Numa.

Lucy hésita un moment.

— Mais, reprit-elle enfin, s'il était encore à l'hôpital, il n'en saurait rien, n'est-ce pas ?

Elles n'en dirent pas davantage. Malgré le léger réchauffement de leurs relations, Lucy voyait son courage l'abandonner peu à peu. Déprimée, elle sentait monter de nouveau son désespoir. Elle repoussa son assiette à moitié pleine, se leva et mit son manteau.

— Je vais au commissariat de police de Harford, déclara-t-elle. Ils doivent avoir fini de l'interroger, à présent.

Voyant la frayeur envahir d'un coup les yeux de Rose, elle lui demanda, du seuil, si elle voulait l'accompagner. La jeune femme fit non de la tête.

— Ne t'en fais pas, recommanda Lucy, essayant de paraître gaie. Je ramènerai Robert. En revenant, nous passerons à l'hôpital voir comment va Numa.

Lucy gara la camionnette dans une petite rue et traversa Harford à pied, la tête haute, heureuse du vent frais qui faisait bouffer ses cheveux. Dans les vitrines, les lumières de Noël clignotaient déjà. Sur le tableau d'affichage du commissariat de police, une grande pancarte annonçait un récital de noëls par l'orchestre et la chorale de la police, au profit des indigents.

Le sergent de garde considéra Lucy d'un œil curieux quand elle demanda si M. Robert Lowe était encore là.

— Monsieur Robert Lowe ? répéta-t-il. Une minute, je vais me renseigner.

Elle attendit, lisant machinalement les affiches pour passer le temps. Le sergent revint. Il avait l'air un peu apitoyé.

Monsieur Robert Lowe était toujours là. Il avait même été arrêté !

On autorisa Lucy à le voir, dans une petite pièce nue, en présence d'un jeune agent qui, debout contre le mur, les mains derrière le dos, fit semblant de ne rien remarquer quand Lucy se jeta au cou de Robert et éclata en sanglots bruyants.

— Pourquoi t'ont-ils arrêté ? Tu n'as rien fait !

Robert caressait de sa joue la joue humide de Lucy.

— Du calme, mon petit ! Du calme !

Mais les mots se précipitaient, brisés, haletants :

— Je suis tellement désolée, désolée, Robert, de tout ça !... Si j'avais su...

— Ça finira bien. Ne te désole pas !

Lucy se calma peu à peu, s'essuya les yeux et s'assit devant une petite table minable. Robert resta debout.

— Pourquoi t'ont-ils arrêté ? lui demanda-t-elle.

Immédiatement, Robert reprit son expression fermée, méfiante — son « air de Gitan ». Il loucha du côté de l'agent.

— Tu n'as rien fait de mal ! protesta-t-elle. Tu ne faisais que te défendre. Numa était armé d'un couteau et il aurait pu te tuer.

Mais c'était inutile ! Elle n'aurait même pas pu dire s'il écoutait ce qu'elle racontait. Elle vit, découragée, que le bref moment où il s'était laissé aller à montrer ses sentiments était passé. Muet, les yeux baissés, il s'était abstrait de son environnement à la façon d'une créature sauvage enfermée dans un local inconnu. Il était dominé par des gens plus malins et plus forts que lui : la passivité constituait sa seule défense.

— Je t'aime, Robert, dit-elle simplement, sur le pas de la porte.

Le sergent de garde expliqua à Lucy que son mari comparaîtrait devant le magistrat le lendemain matin et que l'assistance judiciaire avait été demandée pour lui. Il lui conseilla de se trouver au tribunal à 10 h 30.

Et ce fut tout.

Elle reprit la camionnette et alla à l'hôpital prendre des nouvelles de Numa. L'infirmière lui dit qu'il ne semblait pas y avoir de complications. Voulait-elle voir le blessé ? Lucy déclina l'offre. Savoir que Numa n'était pas mort et ne mourrait pas lui suffisait très largement.

— Tu l'as ramené avec toi ? demanda Rose, qui l'attendait sur le pas de la porte de la caravane.

— Non. Ils le garderont jusqu'à ce qu'ils puissent lui retirer les points de suture.

— Ce n'était pas de Numa que je parlais. C'était de Robert.

— Oh ! Robert !

Lucy s'assit sur la couchette et caressa Zip.

— Non, je ne l'ai pas ramené. Il doit comparaître devant le magistrat demain à 10 h 30. Mais j'espère qu'ils le laisseront rentrer ensuite

— Oui, dit Rose, avec aussi peu de conviction. Je le pense aussi.

Le reste de la journée parut interminable aux deux femmes qui restaient silencieuses, prises chacune par ses réflexions. Le soir, le vent redoubla de violence. Il se déchaînait autour des baraques et des maisons en construction, sur le chantier, gémissait dans le terrain vague et projetait des poignées de pluie contre les vitres de la caravane.

— Tu n'attaches pas le chien au-dehors ? risqua Rose.

— Non. Je n'aime pas le savoir dehors par ce froid.

— Il y a bien des gens qui dorment dehors. Le père de Numa avait une de ces vieilles roulottes tirées par des chevaux et il dormait toujours dessous. Personne n'aurait pu l'obliger à coucher dans un lit.

— Pas même la mère de Numa ? s'écia Lucy qui, pour la première fois de la journée, se sentait prise d'une envie nerveuse de rire.

Rose parut choquée.

— Oh non ! dit-elle de sa voix timide, chuchotante. Sa maman devait dormir partout où son père le lui ordonnait.

Le rire de Lucy s'éteignit. Une fois de plus, elle se trouvait en face des attitudes bizarres, extraordinaires, même, des Gitans. Des gens au milieu desquels on pouvait vivre, un clan dont on pouvait s'imaginer qu'on faisait partie — jusqu'au moment où quelque remarque jetée par hasard, comme celle qui venait d'échapper à Rose, faisait apparaître au grand jour le gouffre séparant les Gitans... de ceux qui ne l'étaient pas...

Lucy essaya d'imaginer son propre père renonçant au confort de son matelas à ressorts pour l'humidité de la pelouse du jardin et obligeant son épouse à faire de même. C'était impossible ! L'idée était si absurde, si drôle...

Elle se prit à rire. Cette fois Rose se joignit à elle, partant d'un gloussement rauque, à demi réprimé. Lucy eut l'impression qu'elles commençaient à se rapprocher après avoir été séparées pendant longtemps et elle tendit la main à Rose. Sa petite belle-sœur la prit et la serra entre ses propres doigts maigres et durs.

Puis Lucy demanda gravement :

— Rose, pourquoi as-tu épousé Numa ? Tu n'es pas heureuse avec lui, n'est-ce pas ?

Le visage de la jeune femme s'assombrit ; elle cessa brusquement de glousser et s'enferma dans un silence gêné. Lucy comprit qu'une fois de plus elle avait indûment pénétré dans ce domaine personnel, cette vie privée dont les Gitans ne parlaient jamais.

— Excuse-moi, marmonna-t-elle.

Rose fit un petit mouvement de tête, signifiant sans doute qu'elle n'en voulait pas à Lucy, mais il n'y eut plus guère de conversation entre elles, ce soir-là.

Elles se couchèrent. Lucy invita Rose à partager sa couchette au lieu de rester par terre. Rose accepta. Elle passa la nuit recroquevillée sur elle-même, son dos osseux tourné vers Lucy — seule, enfermée en elle-même, absolument étrangère.

Le matin, Lucy se rendit au palais de justice, avant 10 h 15, et, pour guetter l'arrivée de Robert, elle s'installa sur le palier transformé en salle d'attente par une rangée de chaises pliantes ; un tableau d'affichage, accroché au mur, donnait la liste des affaires qui devaient être jugées ce jour-là.

Lucy s'assit et attendit. Ne voyant rien venir, elle demanda à l'appariteur du tribunal s'il savait quand l'affaire de Robert Lowe devait passer.

— Avant le déjeuner, si vous avez de la chance, répondit-il.

Il lui conseilla d'entrer dans la salle du tribunal : ce serait plus intéressant que de rester sur le palier.

Dans un sens, en effet, c'était intéressant, et Lucy l'eût reconnu elle-même si elle n'avait été trop préoccupée pour prêter attention à quoi que ce fût. L'affaire dont le tribunal s'occupait quand elle entra concernait un individu accusé d'avoir fraudé les chemins de fer britanniques de 2 livres 20 pence. Une dame extraordinairement nerveuse lui succéda ; elle hébergeait dix-sept chats dans sa chambre, en dépit des ordres du service d'hygiène municipal qui lui avait demandé de réduire leur nombre à trois. Le tribunal ordonna une expertise psychiatrique.

Puis, brusquement, Robert apparut. Il se fraya sans bruit un passage au travers de l'assistance pour venir se planter devant le magistrat, tandis que l'agent, celui qui était venu le chercher au chantier, se plaçait à la barre des témoins, prêtait serment et commençait à lire ses notes d'une voix monotone.

Le magistrat regarda Robert et lui posa quelques questions sur Numa. Apprenant que ce dernier sortirait probablement de l'hôpital quelques jours plus tard, il renvoya l'affaire à huitaine. Il fut vaguement question de libération sous caution, mais, s'entendant rappeler que l'inculpé était une personne sans domicile fixe, le magistrat regarda Robert en fronçant les sourcils et ordonna qu'il fût maintenu en détention. Puis il suspendit l'audience. Tout le monde se leva, et le magistrat sortit d'un pas guilleret pour aller déjeuner. L'audience n'avait duré que quelques minutes.

Lucy, abasourdie, obliqua vers la porte mais ne réussit pas à rattraper Robert avant qu'il sortît, accompagné d'un jeune *constable* (*). De loin, leurs regards se rencontrèrent fugitivement. Lucy essaya vainement de feindre un sourire. Elle fut consternée de la détresse qu'elle lut dans le regard de son mari.

— J'aurais cru qu'ils le mettraient en liberté sous caution, vu qu'on est si près de Noël, remarqua une femme qui descendait l'escalier devant elle.

— On n'accorde jamais la liberté sous caution aux Gitans, répondit sa compagne. Si on avait le malheur de les mettre en liberté provisoire, on ne les retrouverait plus.

— Je me demande de combien il écopera.

— Deux ans au moins, dit la première, qui nouait farouchement son foulard sous son menton.

Lucy passa devant les deux femmes et sortit dans la grand-rue où le vent froid dispersait des

---

(*) En Grande-Bretagne : officier de police.

lambeaux d'un noël, venu de l'orphéon enroué de l'Armée du salut. Encore huit jours de détention... et il ne restait que neuf jours avant Noël ! Le visage sombre, Lucy pénétra dans une cabine téléphonique publique et appela sa mère.

« — Il se pourrait que nous ne puissions pas venir, le jour de Noël, déclara-t-elle. Robert est couché. Il a une forte grippe ! »

Lucy s'en retourna à la caravane. Très lasse, elle enlevait son manteau quand Rose l'informa que John Blandford avait laissé un message pour elle. Il désirait qu'elle passât le voir au bureau du chantier.

— Pourquoi ?

— Il ne l'a pas dit.

— Oh ! pas besoin de chercher ! s'écria Lucy. Je devine. Il veut que nous nous en allions.

Elle remit son manteau et, enjambant les ornières durcies par l'hiver, se dirigea vers la baraque.

— Entrez !

Le bureau était en désordre. Tout était couvert de poussière. Les cendriers débordaient, et il y avait des papiers éparpillés partout.

— Nom d'un chien ! pesta John Blandford, qui tripotait la machine à écrire d'un air excédé. Où est donc ce truc qui la ramène en arrière ?

— La touche de rappel ? En haut à droite, à côté du tabulateur.

Il crut trouver la touche, appuya et sursauta

quand le chariot partit à toute vitesse sur la gauche avec un miaulement aigu.

— Mon petit, dit-il, ce truc-là a quelque chose contre moi, manifestement. Revenez et montrez-lui qui est le maître ici !

Elle le regarda fixement.

— Vous savez ce qui est arrivé à Robert ?

— Oui, je le sais.

— Et ça vous est égal ?

— Bien sûr que non..., ça ne m'est pas égal, répliqua-t-il avec humeur. Ce garçon est un imbécile ! Pourquoi s'est-il lancé dans une bagarre au couteau ? Enfin, ce n'est pas parce qu'il a des ennuis que les miens s'arrangeront. Combien de temps va-t-il... sera-t-il absent ?

— Ils l'ont maintenu en détention provisoire pour huit jours, dit Lucy, avançant un peu dans le bureau. L'affaire est, en effet, remise à huitaine.

Il remarqua son air abattu.

— Qu'est-ce qui vous prend ? Vous avez plus de cran, d'habitude. Vous êtes une bagarreuse, vous !

— C'est drôle, dit-elle. C'est déjà ce que m'a dit Rose.

— Qu'est-ce que vous dites ?

— Oh ! rien !...

Elle s'assit devant la machine, écarta les cendriers et les papiers en désordre.

— Eh bien, reprit-elle, si je dois me remettre au travail, allons-y tout de suite !

CHAPITRE X

La semaine que Robert passa en détention provisoire s'écoula plus vite que Lucy ne l'aurait cru possible. Laissant Rose faire le ménage de la caravane, elle se rendait chaque matin au bureau du chantier et y restait jusqu'au début de l'après-midi, tapant à la machine, classant des papiers, répondant au téléphone. Ni John Blandford ni elle ne faisaient plus aucune allusion à ce qui s'était passé, sauf une fois où il demanda « qui était l'autre jeune femme ».

— Dans la caravane ? C'est Rose, ma belle-sœur.

— C'est la femme de ce type qui...

— Oui.

— Oh ! dit simplement John Blandford.

Puis il ajouta, songeur :

— Il doit la tyranniser, la malheureuse ! Elle a l'air complètment affolée, cette fille-là.

Trois jours avant le terme fixé pour l'affaire de Robert, un homme aux cheveux gris coupés court vint au bureau et demanda à voir Mme Lucy Lowe.

Elle le pria d'entrer. Il se présenta comme l'avocat qui devait défendre Robert ; il avait été commis d'office. John Blandford prit son chapeau et s'éclipsa discrètement.

L'avocat ouvrit sa serviette, en tira une liasse de papiers et demanda à Lucy sa version de l'incident. D'après ce qu'il avait cru comprendre, elle avait bien été témoin de la scène ?

Assise toute droite, tendue, derrière la machine à écrire, elle attendit... La première chose que l'avocat voulut savoir fut la raison de la bagarre.

— Je ne sais pas, murmura-t-elle, détournant les yeux.

— Bien sûr que si, vous le savez ! s'écria-t-il, sans se fâcher. Si vous voulez que je vous sois utile, à votre mari et à vous, vous feriez mieux de me dire comment tout s'est déclenché, vous savez ?

Lucy se décida à tout lui raconter. Ce fut pour elle un grand soulagement de pouvoir partager ce poids avec quelqu'un de compétent.

— Un gobelet et deux plateaux... Vous dites que vous les avez rapportés à l'église ?

— Oui.

— Quelqu'un vous a-t-il vue ?

— Non.

— Et vous n'en avez parlé à personne d'autre ?

— Non.

— Il ne faut pas être très malin pour voler de l'argenterie dans une église, fit-il remarquer. Les objets volés doivent être faciles à identifier !

Il fronça les sourcils.

— Oui, reprit-il, si telle était la raison de la bagarre, je crois que mieux vaudrait ne pas en faire état dans notre défense.

— C'est aussi mon avis, déclara Lucy.

— Voyez-vous, vous avez beau avoir restitué ces objets, vous risqueriez tout de même, votre mari et vous, d'être inculpés de recel.

Il se leva, s'approcha de la fenêtre et regarda, perplexe, le triste décor hivernal.

— Il y a naturellement peu de chances pour que monsieur Smith parle de lui-même de l'argenterie ! Pouvez-vous imaginer une autre raison valable... pour la bagarre ?

— Je ne vois pas... Enfin, il y aurait bien cette réflexion que j'ai faite à propos de la boue qu'il avait apportée avec ses bottes...

L'avocat se retourna.

— Pouvez-vous vous rappeler exactement ce que vous avez dit, madame ?

— Non. J'ai simplement constaté qu'il avait mis de la boue partout.

— Est-il homme à s'emporter facilement ?

Elle réfléchit encore, puis acquiesça. L'avocat quitta la fenêtre et soupira.

— Si vous ne pouvez vraiment rien imaginer d'autre, il faudra bien que nous nous contentions de cette explication !

— Je regrette, fit Lucy, gauchement.

Elle attendit. Il décapuchonna son stylo.

— Bon ! Passons aux détails, maintenant, madame Lowe.

Il resta une heure ave elle. Quand il se leva pour s'en aller, elle s'empara de la main qu'il lui tendait poliment.

— Vous me croyez, n'est-ce pas ? demanda-t-elle. Vous comprenez, Robert n'est pas vraiment coupable...

— Je vous crois, madame Lowe, dit-il avec un sourire las. Après tout, c'est mon travail de vous croire, n'est-ce pas ?

Le jour du jugement arriva. Lucy, à qui John Blandford avait donné congé, demanda à Rose si elle voulait venir au tribunal avec elle.

— Peut-être... oui, dit Rose, qui n'avait pas cessé de garder un silence glacial sur toute l'affaire.

— Sans doute te demanderont-ils de déposer comme témoin, toi aussi, pour Numa ?

Les grands yeux de Rose exprimèrent une alarme soudaine.

— J'irai, mais je ne dirai rien. Ils ne peuvent pas m'y forcer, pas vrai ?

— Non, bien sûr !

Lucy caressa doucement l'épaule maigrichonne de sa belle-sœur.

— Cette dispute ne change rien entre nous, Rose, dit-elle. Quoi qu'il arrive, souviens-t'en !

Cette fois, il semblait y avoir beaucoup plus de monde devant la salle du tribunal. Lucy vit d'abord cinq agents de police. Instinctivement, elle scruta leur visage — s'imaginant pouvoir peut-être y découvrir quelques miettes d'information sur le sort de Robert. Ils la regardèrent d'un air débonnaire, sans curiosité. Elle se retourna pour dire quelque chose à Rose et s'aperçut que celle-ci avait disparu, comme un fantôme.

— Comme vous êtes la femme de l'inculpé, dit l'avocat à cheveux gris qui s'était approché d'elle, le magistrat aura automatiquement tendance à se méfier de tout ce que vous direz. Néanmoins...

Rapidement, à voix basse, il entreprit de lui faire répéter ce qu'elle aurait à déclarer. Rendue sotte par son anxiété, elle répétait tout ce qu'il lui disait comme une actrice débutante affolée par le trac sur le point d'entrer en scène, pour une représentation dont toute sa carrière devrait dépendre.

— Bon, restez ici jusqu'à ce qu'on vous appelle, dit enfin l'avocat. Et ne vous faites pas de souci. Tout se passera bien.

— Vous le pensez réellement ? demanda-t-elle, le regardant anxieusement.

Il s'en alla précipitamment, sans avoir répondu.

La salle d'attente s'était vidée, peu à peu. Lucy, assise sur le bord d'une chaise, vit soudain Robert monter l'escalier — et s'aperçut, horrifiée, qu'il avait les poignets pris dans des menottes qu'un agent tenait.

— Robert ! cria-telle.

Elle s'était dressée d'un bond, mais il eut tout juste le temps de lui adresser un bref signe de tête : on le conduisait dans la salle du tribunal.

Elle se rassit et attendit, serrant ses mains glacées autour de ses genoux et regardant fixement la porte fermée de la salle d'audience. Il lui sembla qu'il s'écoulait des heures avant que la porte se rouvrît et que l'appariteur l'appelât. Tremblante, elle s'avança. Après la pénombre du palier, la salle du tribunal semblait éclatante de lumière.

Lucy s'approcha de la barre des témoins. Quand elle regarda la salle, elle crut avoir une hallucination : tous les Lowe étaient là. Serrés les uns contre les autres, ils débordaient du petit espace réservé au public. La lumière crue qui tombait sur leurs visages typés et leurs vêtements voyants les faisait paraître magnifiques. Il y avait le cousin Denis, le cou pris dans son foulard à pois rouges, installé à côté de sa femme, Marie ; il y avait la tante Emma, coiffée de sa casquette d'homme, qui tricotait placidement à côté de l'oncle Joseph ; il y avait Charles et Madeleine. Il y avait beaucoup d'autres visages, forts, burinés, hâlés, des visages de la famille Lowe, indubitablement. Et, au milieu de la bande, trônaient Jacob, tout sec, et sa femme, Isabelle la Magnifique.

Avec ses cheveux satinés, huilés, nattés, retenus par de grands peignes et des barrettes scintillantes, avec les lourds anneaux d'or qui lui pendaient aux oreilles et son corsage de taffetas vert émeraude, Isabelle avait toute la dignité calme d'une reine.

Comment avaient-ils tous eu vent des ennuis de Robert et de son histoire avec Numa ? Lucy n'en avait aucune idée. Elle ne pouvait qu'imaginer une sorte de télégraphe de brousse pour Gitans, un système de communications mystérieux diffusant à travers le paysage d'hiver la nouvelle qu'un des leurs avait des ennuis.

Ils étaient donc là, tous, de l'autre côté de la salle d'audience, serrant loyalement les rangs derrière le garçon qui faisait face au juge. Rose elle-même était au milieu de la troupe.

Lucy détourna les yeux de sa belle-famille et s'aperçut que l'avocat de Robert s'était levé, à côté de la longue table placée devant le banc des magistrats, et lui souriait d'un air encourageant.

— Madame Lucy Lowe, dit-il, vous êtes l'épouse de mon client, monsieur Robert Lowe. J'ai cru comprendre que vous étiez présente au moment de l'incident qui s'est produit entre monsieur Lowe et monsieur Samuel Numa Smith ?

— Oui, répliqua-t-elle, sans parvenir à le regarder en face.

— Madame Lowe, auriez-vous l'obligeance de nous dire ce qui s'est passé ? continua-t-il, lui adressant un autre sourire encourageant.

— J'avais été faire des courses. Quand je suis revenue à la caravane, j'ai constaté que Numa..., enfin, que ma belle-sœur et son mari étaient arrivés. Numa était vautré sur la couchette quand je suis entré. Je crois qu'il avait bu. Il n'a pas été très aimable, et je...

Le juge s'agita un peu et se pencha vers elle.

— Que voulez-vous dire, par pas très aimable ?

— Eh bien, reprit Lucy, déconcertée, il n'a pas dit bonjour... ni rien.

Le juge la pria de poursuivre son récit. Elle raconta tout ce dont elle pouvait se souvenir de la scène, mais omit soigneusement de faire allusion à l'argenterie de l'église de Great Wetherly. Elle en vint à la rixe proprement dite.

— Et puis, j'ai vu brusquement que Numa avait pris son couteau et que mon mari essayait de le lui retirer. Numa a poussé Robert au travers de la porte, et Robert s'est effondré... à la renverse. Ils sont tombés par terre et ils ont lutté, tous les deux. C'est pendant cette bagarre que Numa a reçu un coup de couteau à l'épaule. Nous l'avons transporté à l'hôpital quand nous nous sommes rendu compte qu'il fallait recoudre la blessure.

Le sourire qui montait dans les yeux de l'avocat indiqua à Lucy qu'il était content de la façon dont elle s'était tirée de ce récit.

— Une seule chose encore, madame Lowe, déclara-t-il, avec une certaine déférence. Pouvez-vous imaginer la raison pour laquelle monsieur Smith vous a soudain menacés d'un couteau, votre mari et vous ?

— Non...

Elle fit mine de réfléchir un moment.

— Non, je ne vois pas... A moins que ce ne soit à cause d'une réflexion que j'ai faite au sujet de la boue qu'il avait apportée avec ses bottes. Le plancher en était couvert.

— Merci, madame Lowe, conclut aimablement l'avocat.

Mais le procureur qui interrogea Lucy se montra beaucoup moins aimable. Le représentant du ministère public se leva lourdement et fit mine de fouiller dans ses papiers avant de se tourner vers elle.

— Madame Lowe, dit-il, pouvez-vous me dire ce qu'est devenu le couteau ?

— Oui... Je l'ai jeté dans la haie.

— Vous l'avez jeté dans la haie, répéta-t-il très lentement. Et qu'est-ce qui vous a incitée à faire cela ?

— Sa vue m'était insupportable. Je... j'ai fait cela sans y penser...

Lucy regardait intensément l'avocat de Robert, comme pour l'appeler à l'aide, mais celui-ci restait impassible.

— Sa vue vous était insupportable, répéta le procureur, plus lentement encore. Ne serait-ce pas plutôt parce que, en réalité, il appartenait à votre mari, et non à monsieur Smith ?

— Ce n'est pas vrai ! s'écria-t-elle, indignée. Mon mari ne s'aviserait jamais de porter un couteau sur lui ou de faire quoi que ce soit...

— Madame Lowe, si vous nous exposiez les véritables raisons de la dispute ?...

— Mais je l'ai déjà fait ! protesta Lucy.

Son indignation croissait. Comme elle se tournait, elle aperçut pour la première fois Numa, assis à l'écart, la tête rentrée dans les épaules, et, du coup, toutes les craintes et les frustrations de la semaine écoulée semblèrent exploser en elle.

— Il s'est disputé avec mon mari parce qu'il était ivre, affirma-t-elle. Il s'est conduit comme un porc...

Un soudain éclat de rire échappa à l'oncle Joseph. Numa se dressa sur son banc, et cria qu'il n'était pas du tout ce qu'elle disait. Le magistrat les rappela sèchement à l'ordre, puis, d'un signe de tête, fit signe au ministère public de continuer.

— Madame Lowe, dit suavement le procureur, était sur le point de nous révéler la véritable raison de la dispute qui a opposé monsieur Smith et son... euh !... mari.

Piquée par l'insulte à peine voilée par cette hésitation affectée, Lucy sentit déborder la fureur de son tempérament coléreux. Elle ne se contrôla plus et répliqua témérairement, étourdiment :

— Si vous voulez vraiment tout savoir, pourquoi n'interrogez-vous pas Numa ? Vous pourriez commencer par lui demander si c'est uniquement pour prier qu'il rend visite aux églises ; vous pourriez lui demander s'il aime l'argenterie ancienne, s'il...

Elle s'arrêta net : ses yeux avaient rencontré ceux de l'avocat de Robert. Sa voix mourut. Elle détourna son regard — et se trouva devant les visages attentifs des Lowe. Tous la regardaient fixement.

La tante Emma avait laissé tomber son tricot sur ses genoux.

Mais les yeux qui retinrent surtout Lucy furent ceux d'Isabelle. Bleus et vifs, ils semblaient adresser une sorte de message farouche. Lucy eut l'impression de se trouver à la barre des témoins pour répondre, non aux juges, mais à une question qui allait beaucoup plus loin que la raison de la bagarre. Ce qu'Isabelle mettait en question, c'était son intégrité, son incorruptibilité, sa loyauté envers la tribu.

Au-dessus d'elle, le juge s'agita de nouveau.

— Qu'est-ce donc que ces visites d'église ? demanda-t-il avec humeur. Qu'est-ce que les convictions religieuses de monsieur Smith ont à voir avec l'affaire en question ?

— Rien, fit Lucy, qui regardait toujours fixement sa belle-mère. Excusez-moi.

— Eh bien, dans ce cas, continuons nos délibérations, reprit le juge, adressant un signe de tête au procureur.

Mais, sans qu'on sût pourquoi, la tension avait disparu. Personne ne semblait plus avoir peur du magistrat. A l'insu des juges, la famille avait réussi à ne faire qu'un seul bloc (y compris Lucy et Numa eux-mêmes !). Quand Numa suivit Lucy à la barre des témoins, ce fut pour grommeler que « tout ça était une erreur ».

Le juge, méfiant, lui demanda de préciser de quelle erreur il voulait parler.

— La coupure que j'ai attrapée à l'épaule, patron. C'est moi qui me la suis faite.

— Vous ?

Le procureur se leva lentement et fit face à Numa qui, de son côté, regardait fixement Lucy.

— Oui, m'sieur. Vous comprenez, j'avais déjà une coupure, à cet endroit-là ; je me l'étais faite il y a une semaine ou deux. Alors, en me bagarrant avec mon beau-frère, j'ai dû prendre un coup et ça a dû se rouvrir. Vous comprenez ?

Les lèvres pincées, le procureur demanda pourquoi il n'avait pas dit cela dès le début. Numa le gratifia d'un regard rusé.

— J'pouvais pas. Je n'avais plus ma connaissance, comme qui dirait, pas vrai ?

L'oncle Joseph ne put retenir un second éclat de rire. Le magistrat réclama le silence et donna furieusement du marteau. Il foudroya l'assistance du regard et déclara qu'il n'avait encore jamais vu personne se comporter de façon aussi honteuse devant un tribunal. S'il y avait encore le moindre incident de ce genre, il ferait évacuer la salle.

Mais ses menaces ne furent pas suivies d'exécution, les Gitans restant impassibles tandis que le procureur essayait de faire revenir Numa sur ses déclarations et que l'avocat de la défense ironisait lourdement sur la déconvenue du ministère public. Tous les efforts du procureur furent vains. Numa s'entêta, buté, se couvrant si bien de ridicule que l'oncle Joseph faillit éclater de rire une troisième fois. Après que le juge eut rapidement consulté son assesseur, il condamna Robert et Numa à une amende de cinquante livres chacun.

— Si je ne connaissais pas les difficultés, tant sociales que financières, auxquelles ont à faire face les gens du voyage, j'aurais fixé une amende beaucoup plus élevée, déclara-t-il sévèrement. J'aurais même pu vous inculper d'outrage à la Cour, délit puni de prison...

En écoutant son admonestation prononcée en termes mesurés, Lucy se rendit compte que le juge connaissait beaucoup mieux la mentalité des Gitans qu'il ne voulait bien le laisser croire. Il avait probablement soupçonné le sens des allusions à l'argenterie et aux églises qui avaient poussé Numa à opérer cette volte-face maladroite, et il ne comprenait que trop bien qu'il eût été inutile de vouloir tirer quelque chose de clair de toutes ces contradictions, de ces incohérences, de ces éclats de verbosité suivis de brusques silences obstinés. Le pauvre homme avait donc fait de son mieux et, gardant les apparences de l'autorité, il s'était lavé les mains de l'affaire, les renvoyant tous dos à dos.

Après le prononcé du jugement, tout le monde se retrouva dans la rue. Les Lowe s'attardèrent quelques moments. Le cousin Denis administra de grandes claques dans le dos de Robert et déclara à Lucy qu'elle était une brave fille, qui savait parler clair et net.

— Clair et net comme une cloche d'église, conclut l'oncle Joseph.

Ils éclatèrent tous de rire. Lucy comprit que

tout le monde savait à quoi s'en tenir sur l'argenterie volée dans l'église de Great Wetherly. Elle rendit son sourire à l'oncle Joseph. Elle était là, debout, le bras passé autour de la taille de Robert, quand Isabelle se pencha vers elle et lui effleura la joue du doigt.

La magnificence soyeuse du corsage de taffetas était maintenant dissimulée sous un manteau de tweed élimé. Isabelle, ainsi vêtue, avait un air moins exotique, mais sa peau au hâle doré et ses yeux bleu vif étaient encore d'une beauté merveilleuse. Emue, Lucy tendit elle-même la main et, pendant un instant, les doigts des deux femmes se touchèrent. Puis Isabelle appela Jacob. Les deux ancêtres s'éloignèrent, descendirent la rue et se perdirent dans la foule.

Les autres se dispersèrent aussi. Lucy, qui les regardait s'en aller, demanda à Robert s'il avait vu Numa et Rose. Il hocha négativement la tête puis, comme s'il se rendait soudain compte de sa liberté retrouvée, il respira un grand coup, s'empara de la main de Lucy et traversa avec elle la rue en courant. Evitant les voitures et les autobus, ils descendirent la grand-rue à toute allure, la main dans la main, et ne s'arrêtèrent que lorsque Lucy dut s'adosser au mur de la poste, essoufflée par sa course et par ses rires.

Quand elle eut repris son souffle, elle dit à Robert que sa mère les avait invités pour le jour de Noël.

— Tu veux bien venir, Robert ? Maman désire que tu viennes...

— Je ne sais pas trop...

— Ils veulent que tu viennes. Et moi aussi.

Alors, ils entrèrent tous deux dans une cabine téléphonique. Robert, plus Gitan que jamais, ne trahit aucune surprise quand il entendit Lucy annoncer à sa mère que la solide nature de son mari lui avait permis de se remettre exceptionnellement vite de cette mauvaise grippe qu'il avait contractée...

Quand ils s'en retournèrent à la caravane, Lucy s'était un peu attendue à y trouver Rose et Numa, qui avaient pu s'y faire conduire par quelqu'un ; mais elle ne vit aucune trace d'eux.

— Ils ont dû venir et repartir, dit Robert.

— Ils auraient pu attendre pour nous dire au revoir, fit remarquer Lucy, tirant sa clef pour ouvrir la porte de la caravane. Après tout, ça s'est terminé d'une façon qui nous permet de rester plus ou moins amis, n'est-ce pas ?

— N'y compte pas trop, marmonna Robert, se baissant pour répondre à l'accueil délirant de Zip, à qui cette semaine d'absence avait dû paraître une éternité.

La lumière fuligineuse de décembre s'était évanouie quand ils s'assirent devant une potée de jambon et de haricots que Lucy avait préparée la veille. Derrière les rideaux tirés, dans la caravane bien chaude, avec Robert pour partager cette intimité, Lucy avait l'impression qu'il ne lui restait plus rien à désirer. Elle le dit, tout haut.

— Plus rien à désirer ? répéta Robert, ennuyé. Si, cinquante livres... Il va falloir que je paie cette maudite amende, non ?

— Bah ! tu gagnes bien ta vie, en ce moment ! répliqua-t-elle. Puis, nous avons nos cent livres, à la poste. La situation pourrait être pire.

— Je pense, oui.

— Je me demande où en est Numa, pour l'argent ? Il faut qu'il trouve cinquante livres, lui aussi.

— Personne ne sait jamais comment il se débrouille.

Ils se turent. Lucy pensait à Rose. Elle évoquait la fille maigrichonne aux taches de rousseur, aux grands yeux effrayés. Elle avait beau être soulagée de savoir terminé son cauchemar, la société de Rose lui manquait un peu.

— Robert, crois-tu que Rose soit heureuse avec Numa ? demanda-t-elle.

— Je n'en sais rien, dit-il, posant son couteau et sa fourchette avec la béatitude du mangeur repu. Mais je pense qu'elle a pris son parti de la situation.

Le ton désinvolte de Robert fit passer un frisson dans le dos de Lucy, qui se rappelait le regard de Numa, ses dents saillantes, son crâne étrange, prématurément chauve.

— Pourquoi Rose l'a-t-elle épousé ? demanda-t-elle.

Robert attendit si longtemps avant de répondre

que Lucy commençait à croire qu'elle avait encore abordé un territoire interdit.

— Elle attendait un enfant d'un *gorgio*, murmura-t-il enfin. Un homme qui n'a pas voulu l'épouser...

— Tu veux dire que... qu'ils l'ont obligée à épouser Numa ? demanda-t-elle, horrifiée.

— Numa est le seul à avoir voulu d'elle.

— Voyons ! Ce n'est tout de même pas une telle tare de...

— Chez nous, si. Les *gorgios* peuvent bien penser ce qu'ils veulent, nous ne voulons pas de bâtards chez nous.

— Quel mot ! protesta Lucy. Un mot démodé...

Robert grommela, mécontent. Mais Lucy en avait déjà trop appris pour en rester là.

— Robert, insista-t-elle, qu'est devenu l'enfant ?

— Il est né avant terme. Il est mort.

— Pauvre Rose ! dit-elle doucement. Pauvre petite Rose !

Robert se rejeta en arrière et alluma une cigarette.

— Comme je te l'ai dit, elle en a pris son parti !

CHAPITRE XI

Noël arriva. L'aube se leva doucement, presque timidement, sur la campagne plate de l'East Anglia. Quand sa lumière argentée pénétra dans la caravane, Lucy chercha quelque chose à tâtons sous son oreiller, réveilla Robert d'un baiser et lui remit son cadeau. C'était une ceinture large, en cuir, avec une grosse boucle représentant une tête de lion. Elle plut manifestement à Robert car il la passa immédiatement autour de sa taille.

Il lui offrit, lui, des boucles d'oreilles : deux anneaux d'or tout simples accrochés à une pince garnie d'un minuscule papillon en guise de fermoir. Lucy s'assit dans le lit et leva le bijou vers la fenêtre pour mieux le voir.

— Elles sont magnifiques ! s'écria-t-elle. Oh ! mais, Robert, il faut avoir les oreilles percées pour les porter !

— Ce n'est rien, dit-il négligemment. J'en ai parlé à tante Emma ; elle fera le nécessaire.

— Quoi ? Elle me percera les oreilles ?

— Ce n'est rien du tout, ma chatte, continua-t-il en l'embrassant. Il suffit d'une aiguille chauffée, simplement, et d'un morceau de savon.

— Et tante Emma..., balbutia Lucy, mal à l'aise.

— Elle m'a promis de s'occuper de toi dès que tu le voudras.

Le soleil finit par percer la masse épaisse des nuages. Il apparut au moment où, ayant terminé leur petit déjeuner, Robert et Lucy s'habillaient. Quand ils furent prêts, ils s'examinèrent mutuellement d'un œil critique.

— Cette maudite cravate m'étouffe, grommela Robert.

— Tu n'as qu'à la desserrer un peu. Tiens, voici un mouchoir propre.

Ils laissèrent Zip attaché à l'intérieur, pour garder la caravane. Pendant que Robert fermait la porte à clef, Lucy regarda le chantier de construction.

— Les maisons seront bientôt terminées. Que ferons-nous quand il n'y aura plus de briques à porter ?

— On s'en ira, répliqua-t-il, souriant. Il est temps qu'on s'en aille, de toute façon.

— J'ai fini par bien aimer ça, avoua-t-elle.

Serrant contre elle les petits cadeaux de Noël

qu'elle avait achetés pour ses parents et son frère, elle s'installa dans la camionnette, à côté de Robert, et ils prirent la route de Lame Dunkery.

C'était la première fois que Lucy revenait chez ses parents depuis la journée tragi-comique de leur mariage, au mois d'août précédent, et la vue de ces lieux familiers la remplit de nostalgie. Elle revit l'église, les trois petits bars qui donnaient tous sur le terrain de cricket, et elle demanda à Robert de ralentir quand ils arrivèrent à l'endroit où ils avaient attendu ensemble l'autobus de ramassage scolaire, bien des années auparavant.

— C'est là que nous avons fait connaissance, Robert.

— Je sais.

— Ils devraient construire un monument commémoratif.

— Qu'entends-tu par là ?

Elle n'eut pas le temps de lui fournir des explications. Dès qu'il eut garé la camionnette devant la maison, la porte d'entrée s'ouvrit. La mère de Lucy s'avança sur le pas de la porte, souriante. Elle tendit les bras à sa fille.

Les deux femmes s'embrassèrent longuement. Lucy finit par s'arracher à sa mère.

— Maman, dit-elle, je te présente Robert !

Jane Brennan serra la main de Robert puis, après une très légère hésitation, se pencha vers son gendre et déposa un baiser léger sur sa joue.

— Bonjour, Robert, dit-elle. Entrez donc.

Rien n'avait changé depuis que Lucy était partie.

Lucy constata que son père avait suspendu les guirlandes du Noël précédent ; dans l'entrée, elle sentit le fumet puissant de la dinde rôtie qui pénétrait partout dans la maison...

Edward Brennan, chaussé de pantoufles manifestement neuves, était adossé à la cheminée, dans la salle de séjour. L'accolade brusque, maladroite, qu'il donna à Lucy la fit trébucher contre la table volante qui avait été soigneusement préparée avec des verres, un carafon et une boîte de biscuits d'apéritif.

Le père serra résolument la main de Robert, qui s'était planté à côté du divan. Puis Nicolas entra, soigné et bien coiffé, une paire de patins à roulettes sous le bras.

— Bonjour ! dit-il à Lucy, comme s'il l'avait quittée la veille. J'ai eu des patins, et un train, et un Monopoly...

— Nick ! s'écria Lucy, saisie. Comme tu as grandi !

— Ils ont des roulements à billes spéciaux, comme les patins de course des professionnels, dit fièrement Nicolas, qui aurait immédiatement chaussé ses patins si sa mère ne lui avait rappelé qu'il était formellement interdit de se livrer à ce genre d'exercice sur le tapis.

Mais la glace était rompue. Edward Brennan servit quatre apéritifs ; parents et enfants trinquèrent et se souhaitèrent mutuellement un joyeux Noël.

— Je suis bien contente que vous ayez pu venir, finalement, Robert, dit Jane Brennan.

— Sa grippe n'a pas été très mauvaise, « expliqua » vivement Lucy. Il s'est remis plus vite que nous n'osions l'espérer.

— Où êtes-vous, en ce moment ? demanda Edward Brennan à Robert.

— Du côté de Matherton.

— Robert travaille sur un chantier de construction, là-bas. N'est-ce pas, Robert ?

Le visage de Lucy était empreint d'une tendresse amoureuse, d'un vif désir, mêlé d'anxiété, de voir « briller » son mari devant ses parents. Voulant faire plaisir, Robert expliqua de son mieux comment il aidait les maçons à porter briques et mortier.

Les parents écoutèrent gravement, courtoisement. Edward versa une seconde tournée d'apéritif. Jane passa les biscuits, puis Nicolas mit un disque qui aida beaucoup à meubler les petits silences gênants...

— Vous avez bien tout arrangé, ici, pas vrai ? fit remarquer Robert, regardant autour de lui.

— Il serait temps de recouvrir les coussins ; ils commencent à se faner, dit Jane.

Elle leur demanda de l'excuser et se rendit à la cuisine. Elle réglait le gaz sous les choux de Bruxelles quand Lucy vint la rejoindre.

— Puis-je faire quelque chose pour t'aider ?

— Non, ma chérie. Ta présence me suffit.

— C'est agréable, de se retrouver ici...

Jane enfonça une fourchette dans une pomme de terre, puis referma le couvercle de la casserole. Les deux femmes restèrent à se regarder. La bouche de Lucy tremblait un peu.

— Robert te plaît bien, maman ? demanda-t-elle timidement.

— Oui, répondit Jane, d'une voix mal assurée. Il me paraît très gentil.

— Tu comprends..., bien sûr, du fait que c'est un Gitan, il est différent dans un certain nombre de domaines. Mais c'est un homme merveilleux... Quand on le connaît...

— Seulement, il te faut peut-être un peu plus de temps pour bien le connaître que tu ne te l'imaginais ? demanda Jane, qui « inspectait » la sauce aux airelles.

— Ma foi, il y a des moments où... Est-ce qu'il t'a fallu longtemps pour t'habituer à papa et bien t'entendre avec lui ? Pour en arriver à cette espèce d'accord... enfin, de paix, comme maintenant ?

Jane se mit à rire.

— De paix ? répéta-t-elle. Je ne crois pas qu'il y ait beaucoup de ménages qui soient parfaitement en paix. Avec le temps, on apprend simplement à mieux dissimuler ce qui menacerait la bonne harmonie apparente.

Cela donna à réfléchir à Lucy.

— Si tu n'étais pas ma mère, déclara-t-elle enfin, tu ferais une amie merveilleuse.

Le repas de Noël se passa bien. Les rires étaient moins contraints. Edward fit quelques plaisanteries et, quand Robert demanda s'il pouvait enlever sa cravate, Jane acquiesça, contente de le voir plus à l'aise.

L'atmosphère se tendit un peu quand Nicolas, qui s'était bourré à craquer de tarte aux prunes et de sauce au brandy, déclara :

— Ça me plairait assez d'être un Gitan ! Je voulais devenir ingénieur, à un moment, mais Gitan, c'est pas mal non plus !

— Gitan, ce n'est pas une profession ! dit le père.

Peu désireuse de laisser la conversation aller dans une direction dangereuse, Jane se mit à débarrasser la table.

Aux yeux de Robert, Lucy, dans le cadre de la maison familiale, avait un air lointain.

Et Robert apparaissait également différent de ce qu'il était ailleurs aux yeux de sa jeune épouse.

Lucy conduisit son mari au premier étage pour lui faire visiter son ancienne chambre.

Quand elle l'embrassa, elle remarqua que les cheveux de son mari semblaient garder le parfum de la fumée et de la terre humide. Ses yeux restaient vifs comme ceux d'un oiseau.

— Qu'est-ce qu'il y a là, derrière cette porte ? demanda-t-il.

— La salle de bains !

Elle alla ouvrir la porte et resta sur le seuil à le regarder, sans mot dire. Il examinait attentivement tout, autour de lui : la baignoire, le lavabo, le porte-serviettes chauffant et, dans le coin, le W.-C. avec sa garniture de siège en tissu chenille.

Edward, Jane, Nicolas, Robert et Lucy finirent la journée assis devant la cheminée et mangèrent de la dinde froide et des petits pâtés en regardant la télévision.

— Pouvez-vous venir déjeuner avec nous, un de ces jours ? demanda Lucy à ses parents, comme elle remettait son manteau.

Ils répondirent que cela leur ferait grand plaisir, et elle promit de téléphoner pour convenir d'un jour.

— Vous verrez comme notre caravane est

jolie ! s'écria-t-elle, rayonnante. Elle vous plaira.

Du seuil, Jane leur fit au revoir de la main, son autre bras passé sous celui d'Edward, qu'elle serrait très fort. Les Brennan suivirent des yeux la camionnette qui faisait demi-tour et se dirigeait vers le village. Quand le bruit du moteur se fut éteint, ils rentrèrent dans la salle de séjour.

Pâle de fatigue et de sommeil, Nicolas faisait un dernier effort pour s'intéresser au livre que Lucy lui avait offert.

— Au lit ! dit le père.

— Mais...

— Au lit !

Le petit s'en alla, traînant les pieds. Quand ils furent seuls, Jane enleva ses chaussures et se laissa tomber dans un fauteuil.

— Fatiguée ? demanda Edward, allumant une cigarette.

— Un peu..., mais ça en valait la peine... N'est-ce pas ?

— Oh oui ! Je suis sûr que ça leur a fait un grand plaisir.

— Et comment l'as-tu trouvé, lui ? Te plaît-il ?

Il baissa les yeux sur le visage anxieux de sa femme et il sourit.

— Oui, admit-il. Il m'a beaucoup plu.

— Mais... crois-tu qu'elle soit heureuse ?

Bien sûr, tout le monde peut voir qu'elle est très amoureuse de lui ; mais lui, l'aime-t-il ?

Les yeux de Jane imploraient une confirmation. Son mari détourna le regard.

— Oui, je suis sûr qu'il l'aime. Mais je regrette qu'elle ne nous ait pas dit qu'il avait été mêlé à cette sale histoire de rixe.

— Sans doute n'a-t-elle pas voulu nous inquiéter. Il ne leur est pas venu à l'esprit que nous avions pu apprendre l'affaire en lisant le journal...

— Sans doute lui a-t-il fait promettre de ne rien dire. C'est ça l'ennui, avec les Gitans. Ils ne sont pas tellement ouverts...

Quand les phares de la camionnette firent scintiller les éclats de verre cassé, par terre, sur le côté de la caravane, Robert et Lucy comprirent qu'il s'était passé quelque chose d'anormal.

Tandis que Zip aboyait avec fureur, tous deux coururent à la caravane et virent que les rideaux sortaient par les fenêtres, gonflés par le vent. Des briques avaient été lancées dans les vitres et il y avait des débris de porcelaine cassée partout à l'intérieur. Sans voix, ils suivirent le désastre dans le cône de lumière projeté par la lampe-torche de Robert. Lucy éclata en sanglots.

— Qui a fait ça, Robert ?... Et pourquoi ? Pourquoi a-t-on voulu...

Le visage sombre, Robert alluma la lampe et se mit au travail, ramassant les débris de verre et de porcelaine.

— Qui a pu faire ca ? répéta Lucy quand ils eurent nettoyé le plus gros.

Cette fois encore, elle n'obtint pas de réponse.

Ils se pelotonnèrent dans leur lit et, malgré le froid qui venait avec le vent par les fenêtres aux vitres cassées et obturées tant bien que mal par des papiers et des torchons, Robert s'endormit aussitôt, le dos tourné à Lucy ; Robert, créature étrange, homme d'un autre monde, qui ne demandait aucun réconfort et qui ne pouvait en offrir aucun...

Dans un sens, le coup aurait paru moins cruel à Lucy s'il n'avait pas été porté le jour de Noël.

La lumière blafarde du matin leur montra que la situation était beaucoup plus sérieuse quelle ne leur était apparue tout d'abord. Toutes les fenêtres neuves du chantier de construction avaient été cassées, également, et on avait barbouillé de peinture rouge les parois du bureau du chantier...

Robert et Lucy restèrent longtemps à considérer le désastre.

— Robert, dit-elle enfin, est-ce Numa ?

Il se détourna sans répondre. Mais c'était inutile : elle avait déjà lu la réponse dans ses yeux.

Tant bien que mal, ils arrivèrent au bout de cette journée. Robert posa du carton là où les vitres avaient été brisées tandis que Lucy préparait le repas.

Ils se couchèrent tôt, ce jour-là, mais ne purent s'endormir qu'au petit matin.

Ce fut John Blandford qui les réveilla en cognant à la porte. Lucy battit des paupières en voyant l'expression du bon visage rougeaud sous le ridicule petit chapeau de tweed.

— Inutile de rien me dire, mais il va falloir que vous vous en alliez, soupira-t-il d'une voix plus lasse que coléreuse. J'aurais dû savoir que les Gitans n'apportent jamais que des ennuis. Et... ce genre d'ennuis-là, je ne peux pas me le permettre.

Vaguement consciente que les ouvriers du chantier se tenaient aux abords de la caravane, Lucy acquiesça.

— Je suis désolée...

— Je suis désolé, moi aussi, mon petit, marmonna John Blandford, en se détournant. Mais à quoi bon...

Il s'en alla à pas lourds. Lucy, qui le suivait des yeux, eut l'impression qu'elle venait de perdre un très bon ami.

Ils remballèrent donc toutes leurs affaires, remplirent les réservoirs d'eau pour la dernière fois et accrochèrent la caravane à la camionnette. Personne ne vint leur dire adieu.

— Où allons-nous ? demanda Lucy à Robert quand elle grimpa dans la camionnette, après avoir enfermé Zip à l'arrière.

— Je ne sais pas, répondit-il. Nulle part spécialement...

— Nulle part ! répéta-t-elle amèrement. Quand on y pense, c'est un nom qui nous conviendrait bien : les gens de nulle part !

CHAPITRE XII

Durant les semaines suivantes, Lucy eut l'impression de commencer enfin à comprendre ce que c'était d'être gitan...

Robert et Lucy se présentèrent dans plusieurs fermes, mais nulle part on accepta de leur confier quelque travail. D'ailleurs, la campagne était entrée dans sa période de repos : on était à présent en plein hiver.

Lucy téléphona à ses parents d'une cabine publique.

« — Nous voudrions toujours bien vous avoir, dit-elle à sa mère, mais c'est un peu difficile en ce moment... »

« — Tout va très bien ? »

« — Tout va très bien, maman. »

Robert décida de se diriger vers Ipswich.

Quand la nuit tomba, ils quittèrent la route pour pouvoir faire halte dans une clairière.

Le dîner était presque prêt quand des coups furent frappés à la porte de la caravane.

Un paysan furieux leur intima l'ordre de déguerpir. L'homme était armé d'un fusil de chasse...

— Les braconniers m'ont volé suffisamment de faisans sans que j'aie encore des gens de votre espèce près de chez moi. Décampez ! Hors d'ici, et tout de suite !

Interdite, Lucy protesta : c'étaient des harengs qu'elle faisait frire, et non des faisans ! Le paysan frappa du poing le flanc de la caravane et, coupant la parole à la jeune femme, la pria de ne pas aggraver son cas en se montrant insolente.

Lucy s'emporta et lui ordonna de descendre du marchepied de la caravane : il empiétait sur leur propriété.

— Votre propriété ? brailla le cultivateur. Votre propriété, alors que vous êtes sur mes terres ? Tout ça, c'est mes terres, ajouta-t-il, effectuant un mouvement circulaire avec le canon de son fusil. Si vous n'avez pas décampé dans une demi-heure, je fais enlever votre roulotte par un tracteur !

Après un dernier coup de poing sur le flanc de la caravane, il s'éloigna dans l'obscurité. Tremblante de colère, Lucy acheva de préparer le dîner.

— Bon gré mal gré, dit Robert, il vaudrait mieux partir...

Elle se retourna brusquement.

— Je vais mettre le couvert et nous dînerons comme nous le faisons toujours !

— Je te dis qu'on n'a pas le temps...

— Mon Dieu ! s'écria-t-elle, c'est à croire que ce type-là te fait peur !

— Je l'avoue. Il a la loi pour lui. Il peut appeler les flics quand il voudra, et tu risques d'être conduite devant le tribunal et condamnée à une amende. Et, si tu ne peux pas la payer, tu te retrouves en cabane.

— En cabane ? Quelle cabane ?

— En prison, expliqua-t-il. Tu devrais savoir ce que ça veut dire, maintenant.

Ils se hâtèrent donc de manger. Quand ils se remirent en route, ils aperçurent le cultivateur qui les guettait, accompagné d'un gros chien et s'éclairant avec une lampe-tempête.

Ils se rendirent à Ipswich parce que Robert y connaissait quelqu'un qui vendait les vieilles voitures à la casse. Mais, quand ils arrivèrent sur les lieux, l'homme hocha négativement la tête.

— Désolé, mon vieux, dit-il, mais l'affaire est en vente. Ça te dit de l'acheter ?

Robert et Lucy repartirent, contournant lentement la ville par les faubourgs. Robert cherchait à présent l'un de ses oncles qui avait un dépôt de ferraille, quelque part du côté de la gare.

Ils le trouvèrent. L'homme était petit et fort ; son oreille droite était ornée d'un anneau d'or. Thomas — c'était son prénom — les invita à le suivre. Ils franchirent la barrière et se dirigèrent vers une petite cabane faite de vieilles plaques de tôle et adossée à un tas de ferraille rouillée et de bois pourrissant. Une chèvre d'un blanc sale était attachée à un crochet du mur affaissé qui entourait une partie du terrain.

Avec un grand sourire, Thomas les invita à entrer.

Lucy regarda autour d'elle, dans la pénombre. Il y avait là un étroit lit de camp, un réchaud à pétrole et une table faite de vieilles caisses, tout cela dans un espace que son père aurait sans doute considéré comme trop étroit pour y remiser ses outils.

Thomas les convia à s'asseoir. Lucy s'installa, dégoûtée, sur le bord du lit, tandis que l'oncle de Robert roulait une cigarette.

— C'est ta femme, alors ? demanda l'hôte à Robert.

— Oui, dit Robert. Elle s'appelle Lucy.

Thomas se tourna vers elle avec un grand sourire.

— Elle est jolie, pas vrai ?

Accoutumée, maintenant, à l'habitude qu'avaient les Gitans de parler des gens comme s'ils n'étaient pas là, Lucy écoutait vaguement leur conversation, en regardant une image déchirée du feu roi George VI collée sur la paroi opposée.

— Elle n'est pas mal, en effet, répondit Robert. Je n'aurais pas pu m'habituer à une autre.

Thomas, ravi de cette plaisanterie, éclata de rire. Il tendit le bras vers un rayonnage, prit une bouteille et trois gobelets d'émail écaillé, versa une dose généreuse dans chaque gobelet et en donna un à chacun de ses invités.

— Vous êtes-vous familiarisée avec les façons des gens du voyage, madame ? demanda-t-il à Lucy. Ça ne vous paraît pas trop pénible d'être mariée à un Gitan ?

Lucy déclara que non. Ce vieux pot à tabac dégageait une sorte de bonhomie rayonnante qui atténuait un peu le caractère sordide de son environnement.

— Eh bien, à notre santé ! s'écria-t-il, levant son gobelet.

Ils burent. L'alcool fit monter les larmes aux yeux de Lucy.

— Comment vont les affaires ? demanda Robert à son oncle.

Le sourire de Thomas s'effaça. Il fit la grimace.

— Mal, avoua-t-il. On dirait que le métier est fichu. Personne ne veut plus acheter, personne ne veut plus vendre. Si bien que j'ai tout un tas de vieille ferraille sur les bras. Du premier choix, pourtant ; je ne peux tout de même pas la donner pour rien !

— J'espérais que tu aurais peut-être besoin d'un coup de main, déclara Robert avec une désinvolture affectée.

Le vieux hocha tristement la tête.

— Mon garçon, dit-il, tu penses que je t'aurais pris avec moi avant même que tu aies eu le temps de faire « ouf ». Mais, comme je te le disais, le métier est fichu. On n'y trouve plus son compte.

Il versa de nouveau de l'alcool dans les gobelets.

— Les temps sont durs, gémit Thomas, se reprenant à sourire. Plus durs que jamais. Mais enfin, on finit toujours par passer au travers, pas vrai ?

Robert en convint, et ils passèrent à un autre sujet, échangeant des nouvelles des divers membres de la famille jusqu'au moment où, dans la cour, la chèvre se mit à bêler plaintivement. Le vieux Thomas se leva en soupirant, prit un récipient de fer blanc sur la table, au milieu d'un étrange ramassis, le vida des bricoles dépareillées qu'il contenait et l'emporta. Il s'installa sur un petit tas de briques et se mit à traire la chèvre.

— Je crois qu'il est temps que nous partions, dit Robert, qui le regardait du seuil de la cabane.

Mais l'oncle désigna son récipient plein de lait et, avec un bon sourire, invita le jeune ménage à dîner.

— Je t'en prie, non ! chuchota Lucy à Robert qui lui sourit.

Ils firent donc leurs adieux à Thomas. Mais le vieux fourragea dans un carton à chaussures qu'il tira de dessous son lit, et en retira un petit anneau d'argent garni d'un grenat, dont il fit cadeau à Lucy.

— Ça vous portera chance, ma fille, dit-il, lui passant la bague au doigt. Il appartenait à ma grand-tante Sara, qui avait un don de seconde vue.

C'était une bien brave femme. Elle avait eu treize gosses en dix ans, mais elle les a tous élevés dans le respect de Dieu et du roi. C'était le roi George V, en ce temps-là.

— Merci, dit Lucy. Merci beaucoup, vraiment.

Elle se pencha en avant et, prenant son courage à deux mains, embrassa le vieil homme sur la joue.

Malheureusement, Robert ne trouva de travail nulle part. Le chômage sévissant un peu partout, et les entreprises licenciant des ouvriers, comment eût-il pu espérer, lui, Gitan, se voir offrir du travail ?

Dans une scierie, un contremaître bourru, au poil roux, ne mâcha pas ses mots. Il regarda Robert, de l'air d'un homme à qui on ne raconte pas d'histoires.

— Ecoutez, mon garçon, dit-il, je suis déjà obligé de mettre à la porte de braves gars du pays ; alors, qu'est-ce qui vous fait croire que j'irais recruter un Gitan, eh ?

— Peut-être auriez-vous besoin de quelqu'un pour faire du travail de secrétariat ? dit Lucy, qui s'était avancée à côté de son mari. Je suis sténodactylo qualifiée ; j'ai aussi de l'expérience comme standardiste, et je...

Elle sentit les yeux du contremaître, chargés d'un mépris écrasant, balayer son jean défraîchi et son blouson à bon marché. Elle enfonça ses mains glacées plus profondément dans ses poches, mais c'était inutile. Elle voyait parfaitement qu'en dépit de la façon recherchée dont elle s'était exprimée, il la considérait simplement comme une Gitane.

Quand ils n'eurent presque plus d'argent, ils allèrent s'inscrire au chômage. L'employé, derrière le comptoir, demanda à Robert s'il voulait de l'aide pour remplir le formulaire. Lucy lui arracha le stylo des mains.

— Nous sommes parfaitement capables de le faire nous-mêmes, merci ! dit-elle.

Ils passèrent cette nuit-là sur une place de parking, en bordure de la route de Harford. Lucy s'effondra et se mit à sangloter à fendre l'âme.

— Les gens de nulle part, c'est bien nous ! gémit-elle.

— Je t'en prie ! murmura Robert, caressant maladroitement les cheveux de sa femme. Un peu de cran, mon petit. Ce n'est pas le moment de flancher !

— Les travaux les plus durs, ça m'est égal, dit-elle quand ses sanglots se furent un peu calmés, mais c'est la façon dont ils te traitent... Avec eux, la cause est entendue d'avance. Avant que tu aies le temps de dire quoi que ce soit, ils t'ont déjà jugé. Tu n'es qu'un Gitan et, par conséquent, tu ne vaux rien.

— Je t'en prie, mon petit ! répéta-t-il, navré.

Comme de nouvelles larmes étouffaient Lucy, Robert se mit à rire. Le bruit de son rire s'amplifia et secoua la caravane, faisant danser la porcelaine sur l'étagère et couvrant le bruit du vent, au-dehors. Lucy s'essuya les yeux et demanda ce qu'il y avait de si drôle dans ce qu'elle avait dit.

— Ma pauvre fille ! soupira-t-il. C'est dur, hein, de découvrir en si peu de temps ce que nous avons mis des milliers d'années à accepter depuis Adam et Eve !

Elle tira son mouchoir.

— Tu veux parler de la discrimination raciale ? demanda-t-elle.

— Dieu sait comment les gens de ton monde appellent ça, dit-il. Nous, nous appelons ça de la jalousie, simplement...

Quand Robert et Lucy se réveillèrent, ils constatèrent que la neige s'était amassée contre l'avant de la caravane et que Zip était presque enseveli à l'intérieur de sa niche improvisée. Ils durent ouvrir progressivement la porte, la repoussant centimètre par centimètre contre la masse molle qui pesait sur elle. Mais, une fois au-dehors, ils se trouvèrent devant un décor de féerie.

Aucune voiture ne passait plus sur la route qui, à présent, se confondait presque avec les champs environnants. Seule manifestation de vie :

un épervier tournait, affamé, dans le ciel bleu argent !

Lucy sentit monter en elle une exaltation sauvage et se mit à bombarder Robert de boules de neige. Il riposta, et Zip participa à la bagarre, aboyant et faisant voler la neige avec ses pattes de derrière. De l'autre côté de la route, le terrain descendait en pente forte. Robert saisit soudain Lucy par la taille ; elle perdit l'équilibre et ils roulèrent dans la neige vierge qui craquait sous eux. Ils luttaient, riaient, s'embrassaient.

Ils retournèrent à la caravane, s'enfonçant dans la neige à chaque pas. Robert dégagea un chemin entre la porte de la caravane et la camionnette. Pendant ce temps, Lucy fit un bonhomme de neige, grand, magnifique, majestueux, avec un nez busqué et des cailloux noirs à la place des yeux. Ils s'assirent sur les marches de la caravane pour l'admirer tout en buvant du café bouillant.

— Peut-être as-tu raison de dire que les autres sont jaloux des gens du voyage, fit remarquer Lucy, la tête appuyée sur l'épaule de Robert. Il n'y en a pas beaucoup qui puissent se permettre de passer un jour entier à s'amuser parce qu'il est tombé de la neige, n'est-ce pas ? Les enfants eux-mêmes doivent aller à l'école.

Un silence tomba. Ils regardaient le gros soleil hivernal qui teintait la neige de rose cyclamen. Echappant à la vigilance de Zip, un lièvre déboucha d'un couvert et traversa la route en bonds malhabiles et silencieux.

Ils devaient passer là une seconde nuit.

Mais, le lendemain, ce fut une autre chanson. Un chasse-neige passa dès le lever du jour et repoussa la neige sur les bas-côtés, en congères grises. Bientôt, une circulation ralentie brassa ce qu'il restait de neige, la transformant en une boue liquide brunâtre. Robert et Lucy s'en allèrent.

Le temps empira. La neige s'amassait en monceaux denses qui gelaient dur. Le froid devenait de plus en plus âpre. Sous le ciel bas, dans ce paysage mort, lunaire, il ne restait, semblait-il, comme chose mouvante que la vieille camionnette et la petite caravane qui rampaient péniblement, se déplaçant vainement d'un endroit à un autre. Il n'y avait même plus d'espoir de travail occasionnel. A tout hasard, Robert et Lucy reprirent le chemin cahoteux de la ferme où ils avaient récolté les pommes de terre. Le fermier les regarda en clignant des yeux, comme un hibou endormi ; point n'était question de leur permettre de retourner dans le verger ! Le terrain était au fermier, mais — Robert et Lucy le savaient aussi bien que lui — les règlements du conseil municipal n'autorisaient pas le camping sans installations suffisantes.

— Quelles installations ? demanda Lucy.

— Eh bien..., des installations, répéta le fermier, refermant un peu plus la porte pour empêcher le vent âpre de pénétrer chez lui. Les sanitaires, et tout ça...

— Mais nous n'avions pas davantage de sanitaires quand nous étions ici, cet été, fit-elle remarquer. Et nous étions pourtant plus nombreux.

— C'est inutile de discuter. Je vous dis que je ne peux pas vous prendre !

Elle ne lisait dans ses yeux somnolents que le désir de se débarrasser d'eux pour retourner au plus tôt au coin de son feu.

L'agent de police qui les fit déguerpir, deux jours plus tard, leur conseilla de se rendre à Bawdsey Dows, où il y avait, paraît-il, un nouveau parking pour caravanes.

— C'est à une trentaine de miles d'ici, expliqua-t-il. Vous seriez beaucoup mieux là-bas.

Robert fit observer que c'était un peu loin de Harford, où ils étaient inscrits au chômage. L'agent le regarda sans aménité.

— Tout le monde doit savoir passer sur quelques petites incommodités, n'est-ce pas ? dit-il sèchement.

Ils se rendirent donc à Bawdsey Down et, dans la froide lumière hivernale, se rangèrent dans l'espace libre que leur indiqua le gardien, qui réclama immédiatement le loyer et leur montra les lavabos, la boutique d'approvisionnement et la rangée de w.-c. publics.

— Pas de chevaux, pas d'ânes, de chats, de

lapins, de chèvres ni de poulets, déclara-t-il, récitant sa leçon. Défense d'allumer des feux en plein air. Défense d'introduire ici de la ferraille. Toutes les ordures doivent être jetées dans la fosse prévue à cet effet.

Les autres caravanes avaient un air minable. Le terrain était couvert de mâchefer noir et, en dépit de la défense du gardien concernant les ordures, jonché de matelas pourrissants, de voitures d'enfant réduites à leur squelette et de bidons de pétrole rouillés. En se rendant à la salle d'eau, Lucy croisa une femme mafflue, au teint couperosé, à qui elle dit bonjour. La femme lui jeta un regard méprisant et répliqua qu'elle se demandait ce qu'il pouvait y avoir de « bon » dans un « jour » pareil...

Lucy trouva le magasin, qui avait été aménagé dans une vieille baraque, mais il était fermé, barricadé, même. Les volets clos semblaient avoir été renforcés dans la crainte d'une émeute. Sans lait ni pain pour le dîner, Lucy retourna à la caravane où Robert bourrait de journaux l'intérieur d'une paire de godillots humides.

— Je ne veux pas..., Robert, dit-elle d'une petite voix tremblante. Je ne peux pas rester ici !

Il leva sur elle des yeux surpris.

— Que reproches-tu à cet endroit ? demanda-t-il.

Elle s'assit sur la couchette.

— Au moins, on ne nous fera pas déguerpir d'ici ! ajouta-t-il.

Son ahurissement crût quand il vit Lucy partir d'un rire sauvage.

— Comme tu as raison ! Pour sûr, ils ne nous feront pas déguerpir — tout simplement parce qu'ils nous ont amenés là où ils voulaient nous voir !

La fureur étrange de Lucy commençait à émouvoir et à inquiéter Robert.

— Je ne sais pas où tu veux en venir, marmonna-t-il.

— Je veux en venir... Je veux en venir... Je vois, maintenant, ce qu'est la vie des Gitans ! cria-t-elle. Je sais qu'ils sont sales, repoussés de place en place ou rassemblés avec d'autres moutons dans un parc, prisonniers dans un ghetto...

Le poing de Robert resta enfoncé profondément à l'intérieur d'un des godillots. Il regardait fixement Lucy et essayait de deviner ce qu'elle voulait dire.

— Si tu n'aimes pas ce genre d'existence, dit-il enfin, agacé, tu sais ce que tu peux faire.

Il avait dit cela pour la ramener à la raison, mais la phrase fit à Lucy l'effet d'un coup de poing dans l'estomac. Très pâle, elle le regarda bien en face.

— Tu penses vraiment cela, Robert ?

Fatigué, un peu perdu dans la discussion, il approuva de la tête.

— Tu n'es pas taillée pour vivre comme nous, dit-il. Tu n'es pas assez résistante.

L'écœurement, la détresse de Lucy, étaient tels qu'elle eut envie de blesser Robert, de lui faire mal, de façon irréparable.

— Si ! répliqua-t-elle sauvagement. Je suis résistante. Simplement, j'en ai plus qu'assez de vivre comme une malheureuse !

Il se leva d'un bond, faisant osciller la caravane, et, comme Lucy le bousculait pour passer, le godillot la heurta à la joue.

Secouée par de gros sanglots, elle arracha son blouson accroché à la porte, faillit tomber en dégringolant les marches de la caravane et courut en aveugle dans le crépuscule brumeux, trébuchant contre les détritus, percutant de plein fouet un gosse monté sur un vieux vélo. L'enfant se mit à l'injurier.

Elle trouva la camionnette, s'installa au volant, claqua la portière et démarra furieusement.

L'agent de police qui faisait la ronde, seul dans la voiture pie, jeta un coup d'œil à sa montre. Il pensait à son dîner. La journée avait été longue, froide, il n'y avait eu aucun incident. Les yeux fixés sur la route, il se dit — et ce n'était pas la première fois — qu'il aurait dû choisir un autre métier.

A la sortie d'un virage, il aperçut, à quelque distance, les feux arrière d'une voiture. Ses réflexions en revenaient à la perspective de son dîner quand il vit les lumières zigzaguer rapidement d'un côté de la route à l'autre. Brusquement, l'un des feux disparut tandis que l'autre semblait monter et rester suspendu à quatre pieds du sol.

L'agent accéléra et arriva à la hauteur d'une misérable petite camionnette couchée sur le flanc contre le talus boueux, et dont le moteur continuait à ronfler. La femme, à l'intérieur, avait de longs cheveux. Elle faisait des efforts frénétiques pour ouvrir la portière coincée.

Il coupa le contact et l'aida à sortir de là. Elle chancelait. Il lui recommanda la prudence, pour le cas où elle serait blessée.

— Non, je n'ai rien, dit-elle, haletante. Je suis tombée sur une plaque de verglas et j'ai senti la camionnette chasser.

— Ce virage est serré ; vous l'avez pris beaucoup trop sec, dit l'agent, la conduisant à la voiture pie.

Il la fit s'asseoir puis se pencha vers elle et l'observa de près, à la lumière du plafonnier.

— Est-ce que je ne vous ai pas déjà vue quelque part, madame ?

Encore étourdie, Lucy leva la tête, un instant, et le dévisagea à son tour. C'était l'agent qui était venu arrêter Robert, sur le chantier de construction.

— Mon Dieu ! dit-elle, lassée, il faut que ce soit encore vous !

— Je crois que vous feriez mieux de me donner quelques détails, dit-il, déboutonnant la poche de sa vareuse. Voyons votre permis de conduire, d'abord...

— Je n'en ai pas, avoua Lucy.

— Décidément, c'est toujours la même chose, avec vous autres !

EPILOGUE

C'était propre, à la maison !

Edward et Jane Brennan n'avaient marqué, au retour inattendu de Lucy, qu'une légère surprise. Puis le père avait approché une chaise de la table...

Les parents lui demandèrent comment allait Robert.

— Il a dû s'en aller pour quelques jours... Alors j'ai eu l'idée de revenir à la maison... Vous voulez bien de moi ?

Robert... Jane Brennan avoua que leurs sentiments, à elle-même et à son mari, avaient évolué en ce qui le concernait.

— Vous acceptez donc Robert maintenant ? demanda-t-elle.

— Oui, répondit le père. Après votre visite, à Noël, nous en sommes venus à la conclusion que ton... mari était un homme bien. D'ailleurs, nous souhaiterions le revoir...

Lucy baissa la tête. Personne ne parut remarquer les larmes qui l'aveuglaient...

Cette nuit-là, Lucy Lowe dormit profondément..., dans « sa » chambre.

— Je crois que nous allons avoir un beau printemps cette année, dit un jour Jane Brennan à sa fille.

— L'hiver n'est pas encore terminé ! fit observer Lucy.

— Bah ! le plus gros est passé !

Depuis qu'elle était là, Lucy n'était ni heureuse ni malheureuse. Les mois écoulés lui paraissaient sans importance. Robert n'était plus qu'un personnage de rêve...

— J'ai parfois l'impression que nous avons Lucy à la maison pour de bon ! dit Edward.

Jane hocha la tête.

— Elle se repose après avoir essuyé une tempête, Edward. Un jour ou l'autre elle sentira le soleil sur ses ailes et s'envolera comme un oiseau...

— Elle n'a pas l'air bien, Jane. Elle est pâle, apathique.

— Aurais-tu oublié, Edward, que les jeunes femmes sont pâles et apathiques quand elles attendent un enfant ?...

Ce jour-là, Lucy était allée se promener dans le bois de Candlemas. Adossée à un arbre, elle songea soudain à ses espoirs de maternité... Peut-être aurait-elle dû annoncer la nouvelle à sa mère ?

Elle crut soudain apercevoir Robert ! Ne rêvait-elle pas ? Non, elle ne rêvait pas. Robert était bien là. Dans son visage hâve, ses yeux s'enfonçaient.

Il s'avança.

— C'est ici que nous avons fait connaissance, dit-elle.

— Je ne l'ai pas oublié...

— Vous campiez ici... Charles, Rose et toi, vous attendiez le car...

— Rose est morte...

Lucy ne dit rien, ses lèvres tremblaient.

— Numa aussi. On dit qu'ils ont été asphyxiés par les émanations de leur poêle... Quand on a enfoncé la porte, ils avaient déjà rendu l'âme...

Lucy balbutia enfin :

— Quand est-ce arrivé ?

— Le lendemain de ton départ. Ils sont au cimetière de Harford...

Lucy se détacha de l'arbre contre lequel elle était appuyée et s'engagea dans le sentier moussu qui menait à la route. Robert la suivit. Elle ralentit son pas.

— Quand j'ai vu la camionnette, dit Robert, j'ai cru que tu t'étais tuée...

— Tu m'avais suivie ? Comment ?

— A pied ! Comment aurais-je pu faire autrement ? J'ai bien pensé que tu te réfugierais chez tes parents et je suis venu... Je t'ai aperçue par la fenêtre... Vous bavardiez bien tranquillement... Alors...

— Alors tu es reparti ?...

— Non... J'ai dormi dans le jardin... Ainsi je pouvais t'apercevoir de temps en temps.

Lucy s'arrêta.

— Pourquoi n'es-tu pas entré ?

Il eut une ombre de sourire.

— Je ne me serais pas senti à mon aise... Je m'en suis retourné à Bawdsey où j'ai appris la mort de ma sœur et de Numa. Puis je suis revenu, toujours à pied... J'ai dormi dehors, toutes les nuits... Si tu avais eu besoin de moi, pour n'importe quoi, j'aurais été tout près...

Lucy regarda Robert bien en face.

— Je me suis sauvée, murmura-t-elle. Veux-tu que je revienne ?

— Comme tu voudras, Lucy ! Mais, si tu ne reviens pas...

Les yeux de Lucy s'emplirent de larmes.

— Je veux revenir, murmura-t-elle.

La tristesse du camp ne paraissait pas s'être évanouie. Mais toutes les caravanes qui étaient là... Il y avait là celle du cousin Denis, celle de l'oncle Joseph et de la tante Emma, celle de Charles et de Madeleine, et puis celle d'Isabelle et de Jacob Lowe...

Tous vinrent la saluer, à l'exception d'Isabelle.

— Nous nous sommes tous retrouvés à l'enterrement, expliqua Robert. Il n'y avait guère de travail et nous avons décidé de rester quelque temps ensemble.

Lucy alla à la caravane d'Isabelle et de Jacob Lowe. Elle frappa à la porte et entra.

Isabelle Lowe était là. Elle avait bien vieilli.

— Ma pauvre petite est morte, dit-elle. Elle n'avait que dix-neuf ans...

Lucy prit la main de la mère de Robert.

— J'ai voulu que vous soyez la première à le savoir : Robert et moi, nous allons avoir un enfant.

Isabelle Lowe sembla revenir de très loin.

Jacob, qui venait d'entrer, avait entendu.

— Eh bien, ce n'est pas trop tôt ! s'écria-t-il.

Il se chargea de diffuser la nouvelle. Bientôt la caravane fut pleine de monde.

Soudain le joyeux vacarme cessa : Robert était apparu.

— Quelle est la raison de ce chahut ? demanda-t-il.

— Mon fils, tu vas être père ! dit Isabelle Lowe, le sourire aux lèvres.

Et le vacarme reprit...

FIN

Achevé d'imprimer
le 18 février 1977
sur les presses
de l'imprimerie Cino del Duca,
18, rue de Folin, à Biarritz,
N° 920.

Dépôt légal n° 85. 1er trimestre 1977.